PARIS
VU ET VÉCU PAR LES
ÉCRIVAINS

Françoise Besse

PARIS
BY ITS
WRITERS

PARIGRAMME

SOMMAIRE

INTRODUCTION

Depuis des siècles Paris a fasciné nos écrivains, qui ne voyaient pas seulement en elle la capitale du royaume, mais une ville dotée d'un charme incomparable, comme le confiait Montaigne dans les *Essais* : « Je l'aime par elle-même, et plus en son être seul que rechargée de pompe étrangère. Je l'aime tendrement jusqu'à ses verrues et ses taches. » Au fil du temps, la centralisation du pouvoir absolu a accru l'importance de la ville et son primat sur les autres, en particulier dans les domaines artistique et littéraire. Paris s'est mis à donner le ton, à faire et défaire les célébrités et, en retour, est devenu un support descriptif aux multiples facettes pour des œuvres de fiction.

Mais avec Balzac et sa somme romanesque s'inaugure l'intérêt porté à l'histoire contemporaine saisie dans son ampleur, au Paris moderne où se façonne une société nouvelle dont les strates s'identifient à travers les quartiers et les faubourgs. Cette approche ambitieuse et globalisante inspire à sa suite une longue tradition, de Victor Hugo à Jules Romains en passant par Maupassant et Émile Zola. En outre, les pulsations de la ville réelle prennent fréquemment la grandeur symbolique d'une réalité mystérieuse, poétique et souvent tourmentée. Tant de beautés diverses, tant d'effervescence créatrice ne pouvaient qu'attirer des écrivains étrangers, de Heine à Hemingway, d'Oscar Wilde à Italo Calvino, de Tourgueniev à Joyce. Mais le regard des visiteurs, si informé,

pertinent ou bienveillant soit-il, ne reflète pas les mêmes références ni les mêmes enjeux que celui des autochtones.

Néanmoins ce rayonnement à l'échelle internationale a assuré à Paris de longues décennies glorieuses.

Depuis la Seconde Guerre mondiale, même avec la vogue de Saint-Germain-des-Prés, sa gloire s'est estompée ; ce n'est plus le creuset des idées les plus novatrices, mais un pôle parmi d'autres de la création artistique. Néanmoins, nous avons la chance que peu de choses aient lourdement évolué en son centre depuis les travaux haussmanniens, et qu'il soit encore possible de marcher sur les traces de nombreux écrivains.

La présence de Paris dans une vie, qu'elle soit habitude ou rencontre, est une expérience personnelle où les lieux s'inscrivent dans un fragment du temps : perte, sauvegarde, devenir. Proust l'exprime ainsi dans *Du côté de chez Swann* : « Le souvenir d'une certaine image n'est que le reflet d'un certain instant. » Si les pierres sont encore debout, si la Seine décrit toujours sa longue boucle, si les couleurs de la vie stigmatisent des laideurs ou enchantent les mémoires, encore faut-il trouver les mots pour le dire. En voici vingt exemples, où l'on voit que l'héritage parisien devient littérature et que Paris, à soi seul, est un vaste roman.

« Je l'aime par elle-même, et plus en son être seul que rechargée de pompe étrangère. Je l'aime tendrement jusqu'à ses verrues et ses taches. »

Montaigne, *Essais (III, 9)*

For centuries, Paris fascinated writers who not only saw the city as the French kingdom's capital but also as a place of incomparable charm. One such writer was Montaigne, in the 16th century, who wrote in his Essais: *"I love her for herself, and more in her own right than laden with foreign pomp. I love her tenderly, up to her warts and her spots."* Over time, the centralization of absolute power increased the city's importance and primacy over others, particularly in the field of the arts and literature. Paris began to set the tone, to make and unmake celebrities, and in turn became a many-faceted background for works of fiction.

It was Balzac who, through his novelistic prowess, initiated an interest in contemporary history considered in all its fullness; an interest in modern-day Paris where a new society was coming into being, and whose strata were observable in its districts and neighborhoods. This ambitious all-embracing approach inspired a long tradition, from Victor Hugo to Jules Romains via Maupassant and Émile Zola. Not only this, the heartbeats of the real-life city often took on the symbolic grandeur of a mysterious, poetic, sometimes tormented entity. Such wide-ranging beauty, so much creative effervescence, could only attract foreign writers, from Heine to Hemingway and Oscar Wilde to Italo Calvino, from Turgenev to Joyce. But the scrutiny of the city's visitors—no matter how well informed, insightful or benevolent—was incapable of reflecting the same references or preoccupations as that of its natives. This renown on an international scale nonetheless ensured Paris long decades of glory.

Since the Second World War, despite the passing vogue of Saint-Germain-des-Prés, the city's glory has faded. It is no longer a cradle of the most innovative ideas, but one cluster, among others, of artistic creation. We can however be thankful that its center has avoided hefty changes ever since the Haussmannian works in the 19th century, and that it is still possible to walk in the footsteps of many writers.

The presence of Paris in a life—whether through birth or an encounter—is a personal experience whereby places are etched in a fragment of time: a presence underlined by loss, safeguarding, becoming. Proust put it this way in Du côté de chez Swann: *"Memory of a certain image is no more than the reflection of a given moment."* If Paris' stones are still standing, if the Seine still follows its long curve, if the colors of life underline ugliness or enchant memories, words still need to be found to express them. Here are twenty examples where we see Parisian heritage becoming literature, with Paris, alone, unfolding like a lengthy novel.

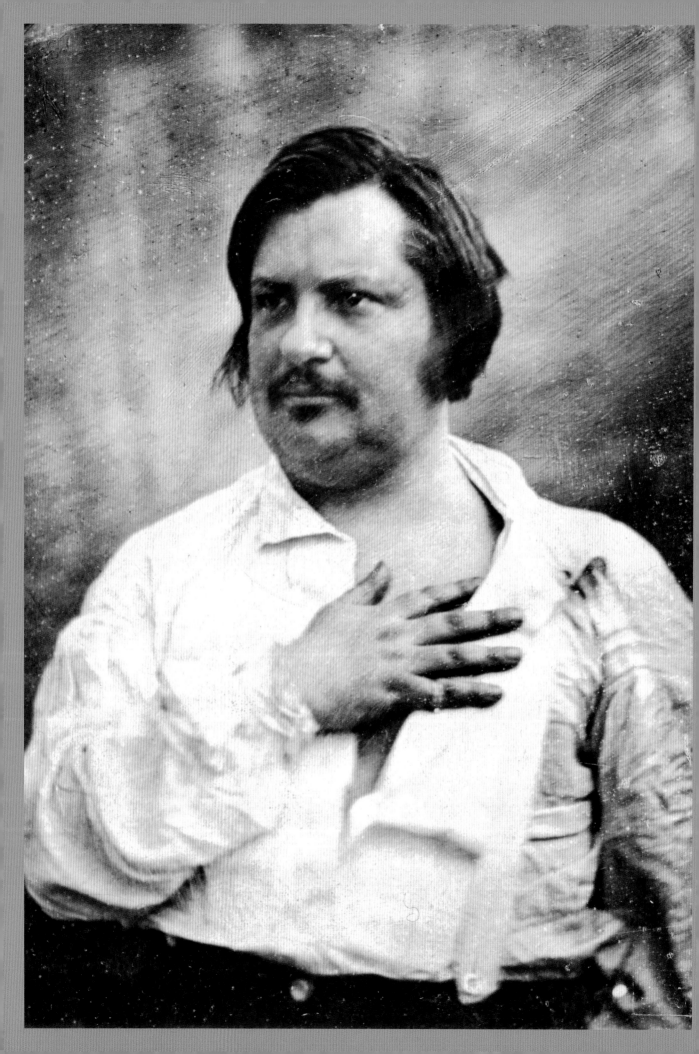

honoré
DE BALZAC
(1799-1850)

« Quand on connaît Paris,
on ne croit à rien de ce qui s'y dit,
et l'on ne dit rien de ce qui s'y fait. »

Honoré de Balzac, *Le Père Goriot*

◀ Portrait d'Honoré de Balzac.
Tirage ancien réalisé d'après
le daguerréotype original
de Louis-Auguste Bisson.

Portrait of Honoré de Balzac.
Old print produced from
Louis-Auguste Bisson's original
daguerreotype.

© Maison de Balzac/Roger-Viollet

Tôt venu à Paris de sa Touraine natale, le jeune Balzac y connaît les débuts difficiles d'une vocation qui se cherche dans des entreprises sans succès et des créations littéraires peu convaincantes au départ. Ses différents domiciles correspondent à des stades successifs de ses ambitions, des largesses de ses maîtresses et de sa reconnaissance sociale, depuis la mansarde de la rue de Lesdiguières en 1820 jusqu'à l'hôtel particulier de la rue Fortunée (l'actuelle rue Balzac), où il résidera quelques mois, de mai 1850 à sa mort le 18 août suivant.
Seule subsiste la demeure où il vécut de 1840 à 1847, 47, rue Raynouard dans le 16e arrondissement. C'est là qu'est née la majeure partie de *La Comédie humaine*, et le musée Balzac y entretient le souvenir de ce travail titanesque.
Le Paris de Balzac est celui de la Restauration et de Louis-Philippe ; c'est toujours une vieille ville limitée dans ses anciens murs ponctués de barrières d'octroi, que la Révolution a peu touchée. Mais les pôles d'attraction ont changé. Si l'aristocratie est revenue habiter le faubourg

• • •

◀ À l'arrière de la maison
de Balzac, cette venelle (l'actuelle
rue Berton) permettait à l'éternel
débiteur perpétuellement harcelé
par les huissiers de s'échapper
et de gagner Paris incognito.

At the back of Balzac's house,
this alley (now Rue Berton) allowed
the perennial debtor, constantly
harassed by bailiffs, to make
an escape to Paris incognito.

© Maison de Balzac/Roger-Viollet

◀ La triste salle à manger
de la pension Vauquer. « Là règne
la misère sans poésie. »
(*Le Père Goriot*)

*The dowdy dining room
of the Vauquer guest house.
"Here reigned misery without
poetry." (Le Père Goriot)*

© www.bridgemanimages.com

▼ « Les entrailles de la ville »,
aux Halles, « dont ne se doute
pas plus Paris que la plupart
des hommes ne se doutent de ce
qui se cuit dans leur pancréas ».
(*César Birotteau*)

*"The city's entrails," at Les Halles,
"of which Paris has no more
of an inkling than most men
of what goes on in its pancreas."
(César Birotteau)*

© Charles Marville/BHVP/Roger-Viollet

▲ Henri de Montault et
J. Champagne, *Soirées
parisiennes : un concert
à la Chaussée d'Antin*. Le vernis
de l'élégance et de la haute
société fascinait Balzac, et attire
ses jeunes héros ambitieux.

*Henri de Montault and
J. Champagne,* Parisian soirées:
a concert at Chaussée d'Antin.
*The polish of elegance and high
society fascinated Balzac just
as it attracted his young
ambitious heroes.*

© Musée Carnavalet/Roger-Viollet

> **« L'être qui ne vient pas
> souvent à Paris ne sera jamais
> complètement élégant. »**

Honoré de Balzac, *Traité de la vie élégante*

• • • Saint-Germain, c'est autour de la Chaussée d'Antin que s'édifient les immeubles élégants où une bourgeoisie enrichie étale son opulence. La promenade à la mode n'est plus le Palais-Royal mais les Grands Boulevards, et la spéculation financière enflamme désormais le quartier de la Bourse. Elle ne fait cependant pas oublier le petit commerce et le monde des boutiquiers si actif autour des Halles.

Fasciné par les quartiers brillants où règne une élite mondaine dont il cherche toujours à se faire accepter, Balzac l'est tout autant, avec une terrifiante lucidité, par ceux de la misère où le vice et l'âpreté s'étalent au grand jour. Le jeune Rastignac, pauvre étudiant provincial ambitieux, ne peut prétendre à mieux, près du Quartier latin et du faubourg Saint-Jacques, que l'horrible maison Vauquer, « pension bourgeoise des deux sexes et autres », longuement évoquée dans *Le Père Goriot*.

En saisissant tous les aspects de cette « nature sociale toujours en fusion » (*La Fille aux yeux d'or*), Balzac se fait visionnaire : à la province rabougrie il oppose la vitalité séduisante et perverse de la Capitale. Avec lui naît, pour le meilleur et pour le pire, le mythe de Paris.

Arriving in Paris from his natal Tours region early in his life, young Balzac met with a difficult start as he sought to follow his vocation, initially punctuated with a series of unsuccessful projects and flimsy literary creations. His different addresses corresponded to successive stages in his ambitions, variations in the generosity of his mistresses and changes in his social recognition, from the attic room on Rue de Lesdiguières in 1820 to the private mansion on Rue Fortunée (the present-day Rue Balzac), where he dwelled for several months, from May 1850 until his death on August 18 of the same year.

The only residence of his that remains standing is the one in   • • •

▶ *Le Boulevard du Temple et le Théâtre national*, lithographie d'Arnoult d'après Chapuis, vers 1845. « Boulevard du Temple, les théâtres se touchent et le claqueur, ce faignant qui travaille aux pièces nouvelles, y est la coqueluche. » (*La Cousine Bette*)

Boulevard du Temple and the National Theater, *lithograph by Arnault after Chapuis, c. 1845. "On Boulevard du Temple, theaters touch one another and their darling is the professional applauder, this lazybones on the job at new plays."* (La Cousine Bette)

© Neurdein/Roger-Viollet

◀ Au Rocher de Cancale, rue Montorgueil. L'actuel restaurant perpétue le souvenir de celui qui fut très à la mode au XIXᵉ siècle. Balzac le fréquentait, ainsi que les dandies de *La Comédie humaine*.

Au Rocher de Cancale, Rue Montorgueil. Today, the restaurant perpetuates the memory of the nineteenth-century trendsetter. Balzac frequented it, as well as his dandies in La Comédie humaine.

© Parigramme

« En effet, les jeunes gens de Paris
ne ressemblent aux jeunes gens d'aucune
autre ville. Ils se divisent en deux classes :
le jeune homme qui a quelque chose
et le jeune homme qui n'a rien, ou le jeune
homme qui pense et celui qui dépense. »

Honoré de Balzac, *La Fille aux yeux d'or*

▲ L'hôtel particulier luxueux
de la rue Fortunée (aujourd'hui
22, rue Balzac), où Balzac, endetté
et à bout de forces, n'habita
que deux ans avant sa mort ;
il n'en reste rien.

*The luxurious private mansion
on Rue Fortunée (today number
22, Rue Balzac), where Balzac,
in debt and drained of energy,
only lived for two years before
his death. Nothing remains of it.*

© Maison de Balzac/Roger-Viollet

• • • which he lived from 1840 to 1847, at number 47 on Rue Raynouard in the 16th arrondissement. This is where the bulk of La Comédie humaine was born, and here, the Musée Balzac continues to perpetuate the memory of this colossal work.

Balzac's Paris is the Paris of the Restoration period under King Louis-Philippe. At that time, the old city was still circumscribed by ancient walls interspersed with tollgates, barely touched by the Revolution. But the city's poles of attraction had shifted: while aristocrats now made the Saint-Germain district their base, it was around Chaussée d'Antin that elegant buildings were raised to house the bourgeoisie, grown rich, to display its opulence. The fashionable area to be seen in was no longer the Palais-Royal but the Grands Boulevards while financial speculation created a buzz in the Bourse stock-exchange district. Trading and boutiques nonetheless continued to flourish around Les Halles.

Fascinated by the dazzling districts presided over by the worldly elite whose acceptance he continually sought, Balzac also turned his attention, with terrifying lucidity, to the destitute, portrayed by him as being marked by vice and bitterness. In Le Père Goriot, the young Rastignac, a poor and ambitious student with a provincial background, could find no better, near the Latin Quarter and the Saint-Jacques district, than the horrible Vauquer residence, "a bourgeois guest house for the two sexes, and others."

By depicting different aspects of this "social nature continually in fusion" (La Fille aux yeux d'or), Balzac became a visionary: he contrasted the stunted French provinces with the seductive and perversely effervescent capital. Through him was born, for better or for worse, the myth of Paris.

▼ *Paris vu du Père-Lachaise.*
Gravure de William Wyld.
Rastignac, après avoir suivi, seul, le convoi du père Goriot au cimetière, contempla avidement Paris. « Il lança sur cette ruche bourdonnante un regard qui semblait par avance en pomper le miel, et dit ces mots grandioses :
« À nous deux, maintenant ! »

Paris from Père Lachaise.
Engraving by William Wyld.
Rastignac, after following Father Goriot's funeral procession to the cemetery alone, avidly contemplated Paris. "He cast, on this swarming hive, a gaze that seemed to draw honey from it in advance, and said these grandiose words:
"Now it's just you and me!"

© Musée Carnavalet/Roger-Viollet

Victor HUGO

(1802-1885)

De toutes les demeures parisiennes de Victor Hugo (et il déménagea une bonne vingtaine de fois !), seule subsiste la maison de la place des Vosges devenue musée en 1903. De 1832 à 1848, il y connut la gloire littéraire, les fêlures de son couple, l'éclosion de sa longue liaison avec Juliette Drouet, le deuil inguérissable causé par la mort de sa fille Léopoldine, et les premières années de son engagement politique pour le peuple et contre celui qu'il appellera « Napoléon le Petit ».

Le paysage parisien ne porte plus d'autre vestige direct de sa vie et de sa célébrité, si ce n'est que, de son vivant, son nom fut donné à l'avenue où il habita pendant ses dernières années. Qui se souvient de l'immense catafalque, œuvre de Charles Garnier, qui fut dressé sous l'Arc de Triomphe le 31 mai 1885, pompe funèbre éphémère pour recevoir l'hommage du peuple de Paris venu par centaines de milliers ? Et sait-on que les deux beaux bénitiers à l'entrée de l'église Saint-Paul furent offerts par le poète ?... Mais l'œuvre est là, somptueux

témoignage des liens multiples de l'auteur avec sa ville.

À 30 ans, devenu le chef de file du romantisme qui célèbre à l'envi les beautés du Moyen Âge, Hugo publie *Notre-Dame de Paris*. C'est la résurrection littéraire du Paris médiéval, très documentée et enrichie par une imagination visionnaire. La « vieille reine de nos cathédrales » l'intéresse surtout en tant que belvédère d'où contempler « une ville gothique entière, complète, homogène [...], déjà une ville géante ». Quel spectacle du haut des tours ! « C'était d'abord un éblouissement de toits, de cheminées, de rues, de ponts, de places, de flèches, de clochers. »

Mais en 1832 la ville médiévale, qui subsiste en grande partie, est déjà condamnée et livrée aux premiers travaux d'assainissement qui vont la transformer, et Victor Hugo dénonce ce qu'il juge un vandalisme aveugle. • • •

▶ Jean-Louis Ernest Meissonier,
La Barricade, 1848. Aquarelle,
traces de crayon sur papier.
Bien que postérieure à la révolte
populaire de 1832, où Gavroche
va mourir en héros, cette
Barricade évoque bien les moyens
dérisoires avec lesquels le peuple
tentait de s'opposer à la troupe
armée.

*Jean-Louis Ernest Meissonier,
The Barricade, 1848. Watercolor,
pencil traces on paper. Despite
postdating the 1832 Paris uprising
in which Gavroche died as a hero,
this Barricade clearly shows
the petty means relied on by the
people in their clashes against
armed forces.*

© Musée du Louvre/Roger-Viollet

● ● ● C'est pourtant ce Paris-là qu'il
évoque trente ans plus tard, de
son exil, dans *Les Misérables* :
pour composer cette épopée des
humbles, il se souvient, reconstitue, et imagine. Le charmant jardin de la rue Plumet (où en 1831
Jean Valjean s'installe avec
Cosette) est un havre de nature
débridée : « Le jardinage était
parti et la nature était revenue.
Les mauvaises herbes abondaient
[...] La fête des giroflées y était
splendide » ; il est la fidèle
réplique de celui des Feuillantines qui enchanta l'enfance
du poète : un peu plus tard, c'est
au jardin du Luxembourg, où le
jeune Hugo se promenait tendrement avec sa fiancée Adèle, que
Marius et Cosette s'enivrent de
leur amour naissant.

◀ Paul-Albert Besnard,
*Représentation d'Hernani,
en 1830*, huile sur toile, vers 1902.
Les représentations d'*Hernani*
au Théâtre-Français donnèrent
lieu à des affrontements houleux
et de véritables chahuts, et
fondèrent officiellement
le mouvement romantique.

*Paul-Albert Besnard, Performance
of Hernani, in 1830, oil on canvas,
c. 1902. Performances of Hernani
at the Théâtre-Français triggered
rowdy disputes and disorder,
and officially spawned
the Romantic movement.*

© www.bridgemanimages.com

▼ C'est au Luxembourg (dessiné ici par Louis-Jules Arnoult en 1845), où le jeune Hugo se promenait tendrement avec sa fiancée Adèle, que Marius et Cosette s'enivrent de leur amour naissant.

It was in the Luxembourg Gardens (here drawn by Louis-Jules Arnoult in 1845) that young Hugo strolled tenderly with his fiancée Adèle while Marius and Cosette grew heady with their budding romance.
© Musée Carnavalet/Roger-Viollet

Autrement plus rude est le souvenir de l'éléphant de la Bastille, maquette grandeur nature d'une fontaine monumentale et insolite, voulue par Napoléon, et abandonnée après la chute de l'Empire, mais qui « avait pris je ne sais quoi de définitif qui contrastait avec son aspect provisoire ». « Morne, malade, croulant, » il sert de refuge à Gavroche et à ses petits protégés. Le vanupied au grand cœur, devenu l'archétype littéraire du gamin héroïque et gouailleur, se mêle à l'insurrection populaire de 1832, et on le retrouve à la barricade de la rue de la Chanvrerie (actuelle rue Rambuteau). Et là, n'ayant rien à perdre que la vie, il nargue les balles qui finissent par le tuer. En contraste avec la quiétude protégée des couvents, le calme des rues bien bâties, ou les curiosités d'un urbanisme tâtonnant, le Paris des *Misérables* n'élude pas la turpitude des quartiers marginaux, là où croupit le peuple des pauvres et des crapuleux, tels l'honnête Marius et ses logeurs les horribles Jondrette, alias Thénardier. La ville tente de canaliser la violence des bandits par celle de son organisation répressive, à coups de filatures et d'emprisonnements à la Force, à Saint-Lazare et aux Madelonnettes. Victor Hugo dessine alors une véritable carte de la ville en retraçant les itinéraires des fuyards et les parcours des policiers ; cela prend une ampleur décuplée quand Jean Valjean, pour sauver Marius, tente une fuite hallucinée à travers le dédale fétide des égouts, « cette forêt de branches ténébreuses » où, épuisé par une marche désespérée, il finit par voir une issue : « Il leva les yeux, et à l'extrémité du souterrain, là-bas, devant lui, loin, très loin, il aperçut une lumière [...] c'était la lumière bonne et blanche. C'était le jour. » Mais Paris, pour Hugo, ne peut pas être la ville de la fange et de la perdition. Dans un essai écrit en 1867 avec la ferveur inébranlable et prophétique de l'exilé, il célèbre Paris comme la future capitale spirituelle non seulement de l'Europe, mais même de l'humanité : « De Lutèce devenir Paris, quel magnifique symbole ! Avoir été la boue et devenir l'esprit ! » (*Actes et paroles IV*).

• • •

« Le jardin était grand, profond, mystérieux [...]
Au milieu presque un champ, dans le fond presque
un bois. »

Victor Hugo, Ce qui se passait aux Feuillantines vers 1813, dans *Les Rayons et les Ombres*

HOTEL
MEUBLÉ.

◀ Ce Paris sordide
était analogue à celui
où vivait le couple odieux
des Thénardier,
dans *Les Misérables*
(ici, la rue des Trois-
Canettes, vers 1865).

*The sordid Paris seen
here resembles the part
of the city where
the obnoxious Thénadier
couple lived,
in Les Misérables
(here, Rue des Trois-
Canettes, c. 1865).*

© Charles Marville/BHVP/
Roger-Viollet

▶ Édouard Renard, *L'Ancienne Prison de La Force, rue du Roi-de-Sicile*, gravure, 1814. Dans *Les Misérables*, le père Thénardier y est emprisonné, et réussit pourtant à s'en évader grâce à un complice.

Édouard Renard, The old La Force prison, Rue du Roi-de-Sicile, *engraving, 1814. In* Les Misérables, *the father in the Thénardier family was imprisoned here but managed to escape thanks to an accomplice.*
© Roger-Viollet

Of all of Victor Hugo's Parisian residences (he moved twenty or so times!), only the house at the Place des Vosges remains standing, converted into a museum in 1903. From 1832 to 1848, this was where he met with literary glory, the shattering of one relationship and the blooming of his long liaison with Juliette Drouet, the incurable grief caused by the death of his daughter Léopoldine, and the first years of his political commitment towards the people, against the man he dubbed as "Napoleon the Small."

The Parisian landscape bears no other direct vestiges of his life and fame other than the naming in his honor, during his lifetime, of the avenue where he lived out his last years. Who can still recall the enormous bier, created by Charles Garnier and set up under the Arc de Triomphe on May 31, 1885, to allow the people of Paris, coming in their hundreds of thousands, to pay homage to him? And do we realize that the two beautiful fonts at the entrance of Saint-Paul church were donated by the poet? In any case, these works stand, in sumptuous testimony of the author's many ties to his city.

At the age of 30, after becoming a leader of the Romantic movement that glorified the Middle Ages, Hugo published Notre-Dame de Paris. The work was a literary resurrection of medieval Paris, highly researched and enhanced by his visionary imagination. The "old queen of our cathedrals" fascinated him as a belvedere from which to contemplate "an entire, complete, homogenous gothic city [...], already a gigantic city." What a spectacle could be seen from the top of the towers! Paris "stood out as a marvel of rooftops, chimneys, streets, bridges, squares, spires, clock towers."

◀ *La Colonne de Juillet,* lithographie de Benoist. En 1832, « ce monument manqué d'une révolution avortée » intéresse beaucoup moins Hugo, sur la place de la Bastille, que l'énorme maquette en forme d'éléphant où Gavroche trouve refuge.

The July Column, *lithograph by Benoist. In 1832, "this would-be monument of an aborted revolution" was far less interesting to Hugo, on the Place de la Bastille, than the enormous elephant model where Gavroche found shelter.*
© Musée Carnavalet/Roger-Viollet

▲ Au xixᵉ siècle comme au Moyen Âge (ici sur une estampe d'Adam Perelle), Notre-Dame dominait « Un chaos de rues noires, étroites et profondes. » (*Notre-Dame de Paris*)

In the 19th century as in the Middle Ages (here on a print by Adam Perelle), Notre-Dame overlooked "a chaos of dark, narrow, deep roads." (Notre-Dame de Paris)

© Musée Carnavalet/Roger-Viollet

▶ L'hôtel de l'avenue Victor-Hugo où mourut le poète en 1885 (maison démolie en 1907).

The private mansion on Avenue Victor-Hugo where the poet died in 1885 (the house was demolished in 1907).

© Roger-Viollet

● ● ● *But in 1832, the medieval city that had largely survived was already condemned and handed over to the first sanitation works that would transform it. Victor Hugo denounced what he considered to be blind vandalism.*
Yet this was the Paris that he would describe thirty years later in Les Misérables *after his outspokenness led to his being exiled from the city: to compose this epic novel on the lowly, he relied on his memories, he used his imagination. The charming garden on Rue Plumet (where Jean Valjean moved with Cosette in 1831) is a haven of unbridled nature: "Gardening had stopped and nature had returned. Weeds flourished [...] The festival of gillyflowers was splendid". This garden is a faithful replica of the Feuillantines garden that delighted the poet in his childhood:*
Later, it was in the Luxembourg Gardens where young Hugo once took tender walks with his fiancée Adèle, that Marius and Cosette nurtured their budding love.
One more jarring memory is that of the elephant at La Bastille—a life-sized model that was part of a monumental fountain constructed at the request of Napoleon, then abandoned following the fall of the Empire—which "had taken on something definitive that contrasted with its temporary nature." "Mournful, sick, decrepit," it served as a shelter for Gavroche and his little protégés. This big-hearted tramp who became the literary archetype of the heroic upstart would get involved with the 1832 uprising of the people of France, and take part in the barricade on Rue de la Chanvrerie (now Rue Rambuteau). And here, with nothing to lose but his life, he would scoff at the bullets that end up killing him.
In contrast with the cloistered peace of convents, the serenity of well-constructed roads, or the curiosities of an urbanism finding its feet, the Paris of Les Misérables *does not duck away from the depravity of marginal districts peopled by the poor and debauched, such as the decent Marius and his lodgers, the awful Jondrettes, also known as the Thénardiers. The city tries to counter the violence of its bandits with that of its repressive forces that send the former into prison, at La Force, Saint-Lazare and Madelonnettes. Victor Hugo draws up a genuine map of the city, retracing the itineraries of fugitives and the routes of policemen. The dimensions of this mapping are amplified when Jean Valjean, in order to rescue Marius, attempts a wild flight through a fetid maze of sewers, "this forest of dark branches" where, exhausted, he finally sees an exit: "He lifted his eyes, and at the end of the tunnel, over there, in front of him, far off, very far off, he glimpsed a light [...] it was good white light. It was daylight."*
*Hugo nonetheless did not see Paris as a city of mire and perdition. In an essay dating from 1867, with the unshakable and prophetic fervor of a man in exile, he celebrated Paris as the future spiritual capital, not only of Europe but humanity itself: "From Lutetia to Paris, what a magnificent symbol! From mud to spirit!" (*Actes et paroles IV*).*

▼ Le 31 mai 1885, la population parisienne vint par centaines de milliers rendre hommage à Victor Hugo lors d'une veillée funèbre laïque à l'Arc de Triomphe, avant ses obsèques au Panthéon le 1ᵉʳ juin.

On May 31, 1885, the Parisians came in their hundreds of thousands to pay homage to Victor Hugo at a secular wake held at the Arc de Triomphe before his funeral at the Panthéon on June 1.

© Maison de Victor Hugo/Roger-Viollet

gérard DE NERVAL

(1808-1855)

« Il y a là des moulins, des cabarets et des tonnelles, des élysées champêtres et des ruelles silencieuses, bordées de chaumières, de granges et de jardins touffus »

Gérard de Nerval, *Promenades et souvenirs*

Si l'on retient surtout de Gérard de Nerval la figure inconsolée de l'orphelin qui ne connut jamais la tendresse maternelle, de l'amoureux sans espoir de l'actrice Jenny Colon rencontrée en 1837, et de l'être en proie aux crises de folie hallucinée, on n'aurait garde d'oublier le Parisien qui, avec ses amis ou dans ses errances solitaires, a trouvé dans la ville des lieux accordés à sa sensibilité. Il est sincère quand il reconnaît, dans ses *Promenades et souvenirs* : « J'aime beaucoup Paris, où le hasard m'a fait naître. » Dès 1830, son ami Théophile Gautier, qui fut son condisciple au collège Charlemagne, l'entraîne dans « l'armée romantique » qui soutient Victor Hugo lors de la « bataille d'Hernani ». Dès lors,

▲ Camille Rogier, *Un déjeuner dans le salon de la rue du Doyenné*, illustration extraite des *Confessions* d'Arsène Houssaye. « Quels temps heureux ! On donnait des bals, des soupers, des fêtes costumées... » (*Petits Châteaux de bohème*)

Camille Rogier, *Lunch in the Salon on Rue du Doyenné, illustration from Arsène Houssaye's* Confessions. *"What happy times! We gave balls, suppers, costume parties..."* (Petits châteaux de bohème)
© BHVP/Roger-Violet

Nerval fait partie du « Petit Cénacle » épris de nouveauté et porté aux manifestations d'une bohème tapageuse. Il dilapide très vite la fortune héritée de son grand-père maternel, et dès 1834 ses nombreux domiciles parisiens sont souvent ceux de ses amis. Celui qu'il évoque le plus volontiers – notamment dans *Petits Châteaux de Bohême* – est l'impasse du Doyenné, « dans un coin du vieux Louvre des Médicis,

– bien près de l'endroit où exista l'ancien hôtel de Rambouillet », où ses amis l'hébergent et l'associent à leurs fêtes provocatrices... qui lui valurent une fois d'être arrêté et emprisonné quelques jours pour tapage nocturne ! Ses demeures successives (souvent des masures) ont disparu dans les travaux haussmanniens et, à partir de la première crise de folie, en février 1841, les périodes où il y habite sont entrecoupées

◀ Portrait de Gérard de Nerval, par Nadar en janvier 1855, quelques jours avant sa mort.

Portrait of Gérard de Nerval by Nadar in January 1855, a few days before his death.
© Roger-Violet

• • •

◀ La folie Sandrin, première maison de santé du docteur Blanche de 1820 à 1847, au 22, rue Norvins. Nerval y fit en 1841 un premier séjour de huit mois (photo prise en 1887).

The Folie Sandrin, Dr. Blanche's first health clinic from 1820 to 1847, at number 22 on Rue Norvins. Nerval first stayed here for eight months in 1841 (photo taken in 1887).

© Collection Roger-Viollet

• • • de séjours en maisons de santé. Lors d'une rechute dès le 21 mars, Gérard est pris en charge par le docteur Esprit Blanche et séjourne dans sa clinique de mars à novembre, 22, rue Norvins à Montmartre.

Dans la détresse matérielle, psychologique et morale qui marque ses dernières années, ces séjours vont se multiplier à rythme rapproché : ainsi il est soigné dans la clinique du docteur Émile Blanche, à Passy, du 27 août 1853 au 27 mai 1854 et il y retourne du 6 août au 19 octobre de la même année. Et le corps misérable du pauvre errant fut retrouvé pendu, au petit matin glacé du 26 janvier 1855, rue de la Vieille-Lanterne, à l'emplacement actuel du théâtre de la Ville.

Nerval a très peu évoqué Paris dans sa poésie ; les textes en prose, au contraire, se réfèrent souvent à des observations vécues, plaisantes ou critiques. En promeneur avisé, il célèbre la beauté classique de la place Royale (place des Vosges, depuis), ou, dans *La Main enchantée*, de la place Dauphine « qui ne cause pas moins de satisfaction par sa régularité et son ordonnance ». Au cours de ses promenades, il s'arrête en gourmet averti chez le rôtisseur du marché Saint-Honoré, ou dans les restaurants savoureux et pas chers des Halles, là où, comme le montre cet extrait des *Nuits d'octobre*, l'animation ne faiblit pas durant la nuit : « Les charrettes des maraîchers, des mareyeurs, des beurriers, des verduriers se croisaient sans interruption. » Et la présence majestueuse et tutélaire de Saint-Eustache l'émeut car c'est là que ses parents s'étaient mariés et qu'il se laisse envahir par la pensée de sa mère. D'autres jours, cette âme torturée cherche refuge ailleurs, comme le fait son double, dans *Aurélia*, quand il se jette en larmes au pied d'un autel de Notre-Dame de Lorette. Mais la promenade parisienne peut tourner au cauchemar, c'est le cas dans *Aurélia* : « Je croyais voir un soleil noir dans le ciel désert et un globe rouge de sang au-dessus des Tuileries. » Pour fuir de tels paroxysmes, Nerval trouvait un charme apaisant aux paysages de Montmartre : « Il y a là des moulins, des cabarets et des tonnelles, des élysées champêtres et des ruelles silencieuses, bordées de chaumières, de granges et de jardins touffus » (*Promenades et souvenirs*), et ce merveilleux château des Brouillards entouré de grands arbres bienveillants. Ces bonheurs étaient bien fugitifs pour un être aussi tourmenté. Le cimetière du Père-Lachaise est son ultime repos.

• • •

▶ Le château des Brouillards à Montmartre, vers 1910. Cette blanche « folie » du XVIIIe siècle est restée une demeure poétique à l'écart des turbulences.

The Château des Brouillards in Montmartre, c. 1910. This white eighteenth-century "folly" has remained a poetic residence far from agitation.

© Albert Harlingue/Roger-Viollet

▲ La place des Vosges (anciennement place Royale), vers 1890. Si les passants ont changé, le décor est presque identique à celui qu'admirait Nerval : « Rien n'est beau comme ces maisons du dix-septième siècle dont la place Royale offre une si majestueuse réunion. » (*La Main enchantée*)

The Place des Vosges (once known as the Place Royale), c. 1890. While the passers-by have changed, the décor is almost identical to the one admired by Nerval: "Nothing compares to the beauty of these seventeenth-century houses that the Place Royale so majestically unites." (La Main enchantée)

© Léon et Lévy/Roger-Viollet

● ● ● *While Gérard de Nerval is better remembered as the inconsolable orphan who never knew a mother's love, or the despairing lover of actress Jenny Colon whom he met in 1837, or the man prone to crazed hallucinations, we tend to forget the Parisian who, whether with friends or in his solitary wanderings, recognized a city in tune with his sensibilities. His devotion to the city is sincere in his* Promenades et souvenirs *where he remarks: "I have a great love for Paris where chance set my birth."*
As of 1830, his friend Théophile Gautier, his classmate at the Collège Charlemagne, led him into the "Romantic army" that supported Victor Hugo during the "battle of Hernani" attacking the Classicists. From that time onwards, Nerval was part of the raucous bohemian "Petit Cénacle" literary group, so enamored of novelty. He quickly spent the fortune that he inherited from his maternal grandfather, and from 1834 onwards, his many Parisian domiciles often belonged to his friends. The one that he mentioned the most—namely in Petits Châteaux de Bohême—*was on the Impasse du Doyenné, "in a corner of the old Louvre of the Médicis, close to the spot where the former Rambouillet townhouse stood"; here, friends lodged him and included him in their rowdy parties... that once ended up with his being arrested and imprisoned for a few days for nocturnal disturbance!*

His following residences (often hovels) disappeared during the Haussmannian renovations, and as of his first spate of madness in February 1841, he would stay periodically in health clinics. On the occasion of a relapse on March 21, Gérard was placed in the care of Dr. Esprit Blanche and stayed in his clinic from March to November, at number 22 on Rue Norvins in Montmartre.

With material, psychological and moral distress marking his final years, his stays in clinics would be increase and occur at closer intervals: in this way, he was cared for in the clinic of Dr. Émile Blanche, in Passy, from August 27, 1853 to May 27, 1854, only to return there from August 6 to October 19 of the same year. The miserable body of the poor wanderer was found, hanged, at dawn on January 26, 1855, on Rue de la Vieille-Lanterne, at the site of the current Théâtre de la Ville.

Nerval made little mention of Paris in his poetry. His prose texts, on the other hand, often made appreciative or critical observations on his real-life experiences. A keen stroller, he celebrated the classical beauty of Place Royale (the current-day Place des Vosges), or, in La Main enchantée, of Place Dauphine "that creates no less satisfaction by its regularity and order." During his walks, this discerning gourmet would stop at the roast-meat seller at the Marché Saint-Honoré, or in tasty cheap eateries at Les Halles, where—as indicated by this extract from Nuits d'octobre—activity continued deep into the night: "The carts of gardeners, butter makers, vegetable producers crossed one another without interruption." Nearby, the majestic presence of Saint-Eustache church moved him as this was where his parents married; its sight filled him with thoughts of his mother. At other times, this tortured soul sought refuge elsewhere, like his double in Aurélia who cast himself, in tears, at the foot of the altar of Notre-Dame de Lorette church. His Parisian promenades were prone to turning into nightmares as was the case in Aurélia: "I thought I saw a black sun in the deserted sky and a red globe of blood over the Tuileries." To flee these heights of anguish, Nerval found soothing charm in the landscapes of Montmartre: "Here, there are windmills, cabarets, arbors, Elysian fields and silent alleys, edged with thatched cottages, barns and dense gardens" (Promenades et souvenirs), as well as the marvelous Château des Brouillards, surrounded with tall benevolent trees. These were fleeting joys for this tormented man who found his ultimate rest at Père-Lachaise cemetery.

▶ Dans le froid glacial du 26 janvier 1855, on retrouva Nerval rue de la Vieille-Lanterne, pendu à la grille que l'on aperçoit à droite (gravure par Deroy).

In the freezing cold on January 26, 1885, Nerval was found on Rue de la Vieille-Lanterne, hanging from the bar visible on the right (engraving by Deroy).

© Albert Harlingue/Roger-Viollet

charles
BAUDELAIRE

(1821-1867)

« Je t'aime, ô capitale infâme ! »

Charles Baudelaire, *Projet d'épilogue* en 1861

Dans sa trop courte vie, Baudelaire aura connu une quarantaine d'adresses à Paris, dont peu subsistent encore. Orphelin de père, dès sa majorité en 1842, il dilapide son héritage en dandy souvent pressé de fuir ses créanciers. Pourtant, de 1843 à 1846, il loge 17, quai d'Anjou dans l'hôtel Pimodan (qui a repris depuis son nom d'hôtel de Lauzun), mais c'est au dernier étage sur cour.

À l'époque l'immeuble est délabré et sert de repaire à ses compagnons de débauche, grands consommateurs d'alcool, de haschisch et d'amours vénales (il loge sa maîtresse Jeanne Duval tout près, au 4, rue de la Femme-sans-Tête, actuellement rue Le Regrattier). Par la suite, viendront des garnis modestes, voire minables, et de nombreuses chambres d'hôtel. Deux d'entre eux néanmoins en gardent le souvenir en façade : l'hôtel Voltaire, 19, quai Voltaire (de 1856 à 1858) et l'hôtel de Dieppe, 22, rue d'Amsterdam (de 1859 à 1861). Et c'est dans une maison de santé de la rue du Dôme qu'il s'éteint le 31 août 1867.

Son rapport à la ville est celui d'un flâneur à la fois mélancolique et asocial. S'il se désole dans *Le Cygne*, en voyant que « le vieux Paris n'est plus », englouti dans les travaux haussmanniens, il ne lui reste plus qu'à rêver la ville sans chercher à la décrire : « Tout pour moi devient allégorie. » Il pressent que la modernité contemporaine signe l'avènement d'un univers bourgeois, soucieux de richesse plus que de distinction, dont l'épicentre se trouve désormais sur les Grands Boulevards, comme le dépeint son ami Constantin Guys. Ainsi, la ville devient le creuset où se mêlent le spectacle inévitable et rebutant d'une société vulgaire, la survie méconnue de ses marginaux oubliés, et les tentatives d'évasion de la bohème dans une débauche sans espoir,

◀ Le jeune Baudelaire pose ici en dandy inspiré et sûr de son élégance un peu négligée, que les excès n'ont pas encore ravagé.

Young Baudelaire here poses as an inspired dandy, confident in his slightly neglected elegance, as yet unravaged by excesses.

© Akg-Images

▶ Les murs de l'hôtel de Lauzun furent le décor de la vie dissolue que mena Baudelaire avec ses compagnons amateurs de débauches et de paradis artificiels.

The walls of the Hôtel de Lauzun were the backdrop for Baudelaire's reckless life shared with his friends and fellow lovers of debauchery.

© Roger-Viollet

• • •

▶ Baudelaire
appréciait le talent
d'observateur
de Constantin Guys ;
rien de courtois
dans cette
Conversation,
où se passent
les tractations
entre les lorettes
et leurs clients.

*Baudelaire appreciated
Constantin Guys's
talent as an observer.
There was nothing
courtly about
this* Conversation
*in which kept women
negotiated with
their clients.*

© Christie's images/
www.bridgemanimages.com

• • • « éprise du plaisir jusqu'à l'atrocité » (*Les Aveugles*). Pour le poète, les lieux parisiens parcourus dans ses déambulations souvent nocturnes ne sont pas des paysages, ils composent « la fourmillante cité, cité pleine de rêves » où il va
« Trébuchant sur les mots comme sur les pavés,
Heurtant parfois des vers depuis longtemps rêvés. » (*Le Soleil*)
Et pourtant le poète continue d'aspirer à de simples moments de bonheur où la ville ne serait plus ce lieu trouble et contradictoire, mais lui permettrait de contempler, d'une simple fenêtre,
« Les tuyaux, les clochers, ces mâts de la cité,
Et les grands ciels qui font rêver d'éternité. » (*Paysage*)
Mais l'aspiration à des ailleurs où serait le salut n'empêche pas Baudelaire, dans un projet d'épilogue en 1861, de lâcher cet aveu :
« Je t'aime, ô capitale infâme ! »

▲ Ultime brimade infligée au poète qui détestait son beau-père : leurs corps reposent dans la même tombe, au cimetière du Montparnasse, mais c'est bien pour lui qu'elle est toujours fleurie de fleurs fraîches.

A final injury inflicted on the poet who loathed his step-father: their bodies rest in the same tomb in Montparnasse Cemetery, even if it is well and truly in Baudelaire's honor that it is always tended with fresh flowers.

© Samuel Picas

◀ Pour Charles Meryon comme pour Baudelaire, Paris est « une capitale âgée et vieillie dans les gloires et les tribulations de la vie » (Salon de 1859). Ici, la rue des Chantres en 1862.

For Charles Meryon, as for Baudelaire, Paris is "an elderly capital aged by life's glories and tribulations" (1859 Salon). Here, Rue des Chantres in 1862.

© Akg-Images/Quint&Lox

During his too-short life, Baudelaire notched up some forty domiciles in Paris, few of which still survive. As soon as he reached the age of majority in 1842, the fatherless Baudelaire squandered his inheritance as a dandy in a hurry to flee his creditors, But from 1843 to 1846, he lived at number 17 on the Quai d'Anjou in the hôtel particulier (townhouse) named Pimodan (since renamed Lauzun), on the top floor overlooking the courtyard. At the time, the building was a rundown haunt for his comrades in debauchery—big drinkers and hashish consumers—who also used it as a base for their love affairs (he housed his mistress Jeanne Duval nearby, at number 4 on Rue de la Femme-sans-Tête, now Rue Le Regrattier). This residence would be followed up by modest—even shabby—furnished rooms, and a number of hotel rooms. Two of these nonetheless commemorate Baudelaire's stay on their façades: the Hôtel Voltaire at number 19 on the Quai Voltaire (from 1856 to 1858) and the Hôtel de Dieppe at number 22 on Rue d'Amsterdam (from 1859 to 1861). And it was in a mental home on Rue du Dôme that the writer passed away on August 31, 1867. Baudelaire's acquaintanceship with the city was made as a

*melancholic and antisocial stroller. Regretting, in "Le Cygne," that "old Paris is no more," swallowed up by Haussmannian works, his only recourse was to dream about the city without seeking to describe it: "For me, everything turns into an allegory." He predicted that contemporary modernity heralded a bourgeois universe where wealth would count more than distinction, whose epicenter was now located on the Grands Boulevards. In this way, the city was turning into a melting pot that blended the inevitable yet repulsive spectacle of vulgar society, the survival of its overlooked marginal populations, and bohemian endeavors to escape from it all via hopeless debauchery, "besotted with pleasure to the point of atrocity" ("Les Aveugles"). In the poet's eyes, the Parisian places where he strolled, often by night, were not landscapes but instead composed a "swarming city, a city full of dreams" where he went "Tripping over words as over cobblestones,
Sometimes colliding against long dreamed-of verses." ("Le Soleil") And yet the poet continued to aspire to simple moments of happiness where the city would no longer be this troubled, contradictory place, but would allow him to contemplate from a window, "The pipes, the bells, these masts of the city,
And the wide skies conjuring up dreams of eternity." ("Paysage") But his yearning for another place where salvation could be found did not stop Baudelaire, in an epilogue written in 1861, from letting this admission slip: "I love you, O vile capital!"*

« Les tuyaux, les clochers, ces mâts de la cité,
et les grands ciels qui font rêver d'éternité. »

Charles Baudelaire, *Paysage*

▲ Le moutonnement des toits parisiens dont le poète ne cessait de s'enchanter demeure une constante du paysage parisien (ici vue de la rue du Pont-de-Lodi).

The cluster of Parisian rooftops in which the poet continually delighted remains a constant in the city's landscape (here seen from Rue du Pont-de-Lodi).
© Roger-Viollet

▶ Constantin Guys, *Couple en promenade*, s. d., aquarelle. « [...] les femmes se traînant avec un air tranquille au bras de leurs maris, dont l'air solide et satisfait révèle une fortune faite et le contentement de soi-même. » (*Le Peintre de la vie moderne*).

Constantin Guys, Strolling Couple, n.d., watercolor. "[...] women inching along serenely on the arms of their husbands whose air of sturdy contentment implies an established fortune and self-satisfaction." (Le Peintre de la vie moderne).
© Petit Palais/Roger-Viollet

Guy DE MAUPASSANT

(1850-1893)

« À Paris, vois-tu, il vaudrait mieux n'avoir pas de lit que pas d'habit. »

Guy de Maupassant, *Bel-Ami*

Le Paris littéraire de Maupassant est un fidèle reflet de celui où il a évolué de 1872, petit employé de ministère, à 1891, devenu auteur comblé de succès et admis dans la haute société. Brève carrière : dès janvier 1892 il sombre dans la folie hallucinatoire et la maladie, il est interné dans la clinique du docteur Blanche à Passy, où il meurt un an plus tard, à 43 ans. La présence de Paris, éparse dans des dizaines de ses contes et nouvelles, est permanente dans deux grands romans : *Bel-Ami* (1885) et *Fort comme la mort* (1889). Insensible au charme du Paris ancien, il est sévère à l'égard de l'architecture officielle, que ce soit l'Arc de Triomphe « debout à l'entrée de la ville sur ses deux jambes monstrueuses » (*Bel-Ami*), ou l'Opéra, lourd monument à la « façade pompeuse et blanchâtre » (*Fort comme la mort*). L'innovation des structures métalliques ne le convainc pas davantage : en 1886, stigmatisant un « squelette disgracieux et gênant », il signe la « Pétition des artistes contre la construction de la Tour de M. Eiffel ».

La rive droite, où il a toujours vécu, réunit tous les lieux qui comptent pour lui, à commencer par les Grands Boulevards. La fièvre de l'affairisme et des plaisirs y est partout. Le Crédit Lyonnais domine le boulevard des Italiens, les cafés alignent leurs terrasses propices aux rencontres, les théâtres du Vaudeville et des Italiens programment des comédies légères et, tout près, les Folies-Bergère offrent le décor clinquant et enfumé de leur promenoir où se pressent les prostituées ; et si l'on a plus de moyens, on peut s'offrir un souper fin dans un cabinet

• • •

◀ Cheveux ondulés, chaîne de montre distinguée, regard direct et moustache conquérante : c'est l'image flatteuse de l'arriviste doué, peut-être Bel-Ami ?

Curly locks, a distinguished watch chain, a direct gaze and a winning moustache: a flattering picture of the talented social climber, possibly Bel-Ami?

© Roger-Viollet

◀ La maison où s'installa Guy de Maupassant en octobre 1876, 19, rue Clauzel, en bordure de l'élégant quartier de la Nouvelle Athènes.

The house to which Guy de Maupassant moved in October 1876, at number 19 on Rue Clauzel, at the fringes of the elegant Nouvelle Athènes district.

© Albert Harlingue/Roger-Viollet

▶ La vogue du Café Riche, boulevard des Italiens, ne s'est pas démentie depuis le temps de Maupassant : en 1900, il demeurait un des lieux à la mode des Grands Boulevards.

Café Riche on Boulevard des Italiens has been high on the fashion stakes since Maupassant's time: in 1900, it was one of the most voguish places on the Grands Boulevards.

© Léon et Lévy/Roger-Viollet

« La provinciale fine a une allure toute particulière, plus discrète que celle de la Parisienne, plus humble, qui ne promet rien et donne beaucoup, tandis que la Parisienne, la plupart du temps, promet beaucoup et ne donne rien au déshabillé. »

Guy de Maupassant, *La Chambre 11*

◀ Édouard Manet, *Un bar aux Folies-Bergère*, 1881-1882. On voit au promenoir « la tribu parée des filles, mêlée à la foule sombre des hommes », et l'effet de miroir du célèbre tableau : « les hautes glaces, derrière elles, reflétaient leurs dos et les visages des passants. » (*Bel-Ami*)

Édouard Manet, A Bar at the Folies-Bergère, *1881-1882. We see "the adorned tribe of girls mingling with the dark crowd of men," and the mirror effect of the famous painting: "tall mirrors behind them reflected their backs and the faces of passers-by."* (Bel-Ami)

© Institut Courtauld/DR

• • • particulier au Café Riche, 16, boulevard des Italiens. Mais l'aventurier ambitieux Bel-Ami ne se contente pas de cela. Si, sous la plume de Maupassant, certains quartiers sont le théâtre de l'arrivisme, d'autres sont la scène où évoluent, entre eux, les nantis et les conquérants qui le sont devenus. La plaine Monceau, récemment urbanisée, se pare d'immeubles cossus ornés de torchères en bronze, et le directeur de journal qui y vit dans une très grande aisance la quittera pour un hôtel particulier du faubourg Saint-Honoré, avec jardin d'hiver et premiers éclairages électriques. La vie parisienne des beaux quartiers obéit à ses propres rites : on sort à l'Opéra et non aux Folies-Bergère, si on dîne au restaurant, c'est au Café des Ambassadeurs dans les jardins des Champs-Élysées et, tandis que les dames posent pour leur portrait devant des peintres renommés, les messieurs se retrouvent à la salle d'armes de leur cercle privé ou au Bain Maure de la rue Auber, le plus luxueux hammam de Paris : « Le jour tombait d'en-haut, par la coupole et par des trèfles en verres colorés, dans l'immense salle circulaire et dallée, aux murs couverts de faïences décorées à la mode arabe. » (*Fort comme la mort*). Seule la capitale permet cette collusion de la notoriété, de la richesse, de son usage dispendieux, et du pouvoir sans cesse à conquérir et à garder. Quand Bel-Ami, sur les marches de l'église de la Madeleine où il vient d'épouser la charmante héritière d'un tout-puissant patron de presse, regarde la perspective qui aboutit à la Chambre des Députés, ce n'est pas un défi à la manière de Rastignac contemplant Paris du haut du Père-Lachaise (cf. p. 13), c'est déjà une promesse. • • •

● ● ● *The Paris of which Maupassant wrote is a loyal reflection of the one in which he lived in, from 1872 as a ministry underling, to 1891 after he became a successful author welcomed into high society. His career was brief: as of January 1892, he succumbed to hallucinatory madness and sickness, and he was admitted into Dr Blanche's clinic in Passy, where he died a year later, at the age of 43 years. The presence of Paris, while sparing in his short stories, is constant in two of his novels:* Bel-Ami *(1885) and* Fort comme la mort *(1889). Impervious to the charm of ancient Paris, he was critical of official architecture, whether the Arc de Triomphe, "upright at the city's entrance on its two monstrous legs" (*Bel-Ami*), or the* Opéra, *a heavy monument with a "pompous and pale façade" (*Fort comme la mort*). Nor was he won over by metallic structures: in 1886, complaining about an "unsightly and obtrusive skeleton," he signed an artists' petition lobbying against the construction of the Eiffel Tower.*

The Right Bank, where he always lived, gathered all the sites that were important to him, starting with the Grands Boulevards. Here, the fevered quest for business and pleasure was palpable: the Crédit Lyonnais dominated the Boulevard des Italiens, cafés opened up terraces conducive to meetings, theaters programmed light comedies and nearby, the Folies-Bergère offered a flashy, smoky gallery where prostitutes thronged. Meanwhile, those with greater means could enjoy a refined supper in a private room of the Café Riche at number 16 on Boulevard des Italiens. This, however, did not suffice for the ambitious adventurer Bel-Ami. While Maupassant described certain districts as the stage of social climbers, others were populated by the affluent and the conquerors who had worked their way up. The recently urbanized Monceau plain thus welcomed elegant buildings dressed up with bronze torches, even if the fictional newspaper editor comfortably living there would leave it for a private mansion

▼ L'avenue du Bois était le théâtre d'une société parisienne en parade. « Ils prirent un fiacre découvert, gagnèrent les Champs-Élysées, puis l'avenue du Bois-de-Boulogne [...] Une armée de fiacres menait sous les arbres tout un peuple d'amoureux. » (*Bel-Ami*)

*Avenue du Bois was the stage on which Parisian society paraded. "They took an open carriage, headed to the Champs-Élysées, then Avenue du Bois-de-Boulogne [...] An army of carriages led a whole population of lovers under the trees." (*Bel-Ami*)*

© Léopold Mercier/Roger-Viollet

▲ « La grille dorée et monumentale [du parc Monceau] qui sert d'enseigne et d'entrée à ce bijou de parc élégant, étalant en plein Paris sa grâce factice et verdoyante, au milieu d'une ceinture d'hôtels particuliers. » (Fort comme la mort)

"The gilded monumental gate [of the Parc Monceau] that served as an emblem and entrance for this elegant gem of a park, unfolding lush, artificial grace in the middle of Paris, surrounded by a belt of mansions." (Fort comme la mort)

with a conservatory and new electrical lighting in the Faubourg Saint-Honoré district. Parisian life in the chic districts bent to its own rites. These residents made excursions to the Opéra rather than the Folies-Bergère. When dining out, they went to the Café des Ambassadeurs in the gardens of the Champs-Élysées. While ladies had their portraits done by renowned painters, gentlemen met up in armories or at the Bain Maure on Rue Auber, the most luxurious hammam in Paris: "Daylight fell from overhead, through the dome and colored glass trefoils, into the enormous circular tiled room, its walls covered with Arabic-style ceramics" (Fort comme la mort). Only in the capital was it possible to find this mixture of notoriety, wealth and power that endlessly needed to be chased and maintained. When Bel-Ami, on the steps of La Madeleine church where he has just married the charming heiress to a powerful press figure, gazes at the perspective ending at the French Chamber of Deputies, already promise hangs in the air.

◀ C'est dans l'église de la Trinité que Bel-Ami donne un rendez-vous discret à Mme Walter, l'épouse de son directeur de journal. Mais elle le modifie un peu : « Les bas-côtés vaudront mieux. On est trop en vue par ici. »

Trinité Church was where Bel-Ami set up a discreet rendezvous with Madame Walter, wife of the newspaper's director. But she made a slight alteration to his chosen meeting spot: "The side aisles are better. We're too easily seen over here."

▶ Émile Zola dans son cabinet de travail, rue de Bruxelles, photographié par Dornac. Au faîte de sa renommée l'écrivain vécut treize ans dans ce décor cossu.

Émile Zola in his study on Rue de Bruxelles, photographed by Dornac. At the height of his renown, the writer lived for thirteen years in this opulent setting.

© Akg-Images

émile ZOLA
(1840-1902)

De tous les domiciles parisiens d'Émile Zola – et il en eut presque une vingtaine, du plus modeste au plus confortable – le dernier est, hélas ! le plus célèbre : l'hôtel particulier du 21 bis, rue de Bruxelles où il s'installa en 1889 et où il mourut asphyxié, le 29 septembre 1902. Mais aucun ne se visite.

Il connaît bien Paris, qu'il a arpenté en tous sens, quand il se lance dans la composition de sa fresque romanesque, très documentée, des Rougon-Macquart. Dans sa diversité naturelle, ses mutations violentes et ses beautés nouvelles, Paris est ainsi omniprésent. C'est principalement celui de la rive droite, où les travaux gigantesques entrepris par Haussmann font émerger du chaos des démolitions une ville moderne aux grandes croisées stratégiques, telle que L'Assommoir nous la dévoile.

« Sous le luxe montant de Paris, la misère du faubourg crevait et salissait ce chantier d'une ville nouvelle, si hâtivement bâtie. » De tels bouleversements déchaînent la spéculation des investisseurs sans scrupules habiles à se bâtir des fortunes destinées à assouvir tous leurs désirs, qui atteignent à leur paroxysme dans La Curée : « On sentait le détraquement cérébral, le cauchemar doré et voluptueux d'une ville folle de son or et de sa chair. »

• • •

▼ Percement de l'avenue de l'Opéra, rue d'Argenteuil : la butte des Moulins, vers 1877. Sur ces champs de ruine va s'édifier le Paris nouveau, dont Zola décrit l'émergence.

Drilling of Avenue de l'Opéra, Rue d'Argenteuil: the Butte des Moulins, c. 1877. On these fields of ruin would be raised the new Paris whose emergence Zola described.

© Charles Marville/Musée Carnavalet/ Roger-Viollet

ACHAT & VENTE de TOUTES SORTES de & MEUBLES MARCHANDISES

« Être pauvre à Paris, c'est être pauvre deux fois. »

Émile Zola, *La Curée*

▲ Immeuble situé 8, rue d'Oran, comparable à celui évoqué dans *L'Assommoir* : « Sur la rue, la maison avait cinq étages, alignant chacun à la file quinze fenêtres, dont les persiennes noires, aux lames cassées, donnaient un air de ruine à cet immense pan de muraille. »

Building at number 8 on Rue d'Oran, similar to the one described in L'Assommoir: *"Roadside, the house had five floors, each holding a line of fifteen windows, whose black louvered shutters with broken slats added an air of decay to this immense stretch of wall."*

© Musée Carnavalet/Roger-Viollet

● ● ● Les bas quartiers, telle la rue de la Goutte-d'Or, demeurent misérables avec leurs gargotes et leurs maisons branlantes, tandis que la plaine Monceau s'enorgueillit d'hôtels somptueux comme celui d'Aristide Saccard, « un des échantillons les plus caractéristiques du style Napoléon III, ce bâtard opulent de tous les styles ». Typique des exigences de la bourgeoisie affamée de respectabilité mais dépourvue de moyens, l'immeuble de *Pot-Bouille* révèle la puanteur de sa cour, « l'égout de la maison, qui en charriait les hontes, tandis que [...] le grand escalier déroulait la solennité des étages, dans l'étouffement muet du calorifère ».

▶ La galerie des tapis d'Orient au Bon Marché. Emmanuel Mouret a su bâtir le succès de son grand magasin Au bonheur des dames sur des innovations gagnantes : l'abondance du choix, le luxe de la présentation et le confort des larges galeries qui attirent et retiennent les acheteurs.

The Oriental-carpet gallery at the Bon Marché. Emmanuel Moret built up the success of his department store Au Bonheur des Dames thanks to winning innovations: abundant choice, luxurious presentation and the comfort of wide galleries that encouraged buyers to come and linger.

© Roger-Viollet

Dans cette ville à conquérir par tous les moyens pour qui en a envie, tout se vend, et de mieux en mieux. Octave Mouret, alias Aristide Boucicaut, créateur du Bon Marché, invente les techniques triomphantes du commerce moderne dans son grand magasin, Au bonheur des dames, forteresse paternaliste pour ses employés et théâtre de toutes les tentations pour sa clientèle. « N'était-ce pas une création étonnante ? Elle bouleversait le marché, elle transformait Paris, car elle était faite de la chair et du sang de la femme. » L'avidité des femmes pour leurs toilettes n'a d'égale que celle des hommes pour les prostituées. À Paris, le commerce de la chair est partout : misérable à Montmartre, où Nana fait ses premières armes, et où Gervaise touche le fond de sa déchéance, endémique aux théâtres de boulevard dont les habitués constituent « le Paris des lettres, de la finance et du plaisir ; beaucoup de journalistes, quelques écrivains, des hommes de Bourse, plus de filles que de femmes honnêtes », et triomphant quand Nana se fait acclamer au Grand Prix de Longchamp.
Nulle part, cependant, le matérialisme brutal de Paris n'éclate mieux qu'aux Halles, où la force biologique des victuailles venues de partout s'impose comme signe d'abondance, tentation gourmande et promesse de pourriture.
Si le peintre Claude Lantier, le héros du *Ventre de Paris*, s'enthousiasme pour les « natures mortes colossales » que forment chaque jour légumes, fruits et poissons, il admire aussi les nouvelles Halles de Baltard, « avec

leur mâture prodigieuse, supportant les nappes sans fin de leurs toits ».

Sans nostalgie pour le Paris ancien, Zola célèbre les émotions nouvelles suscitées par la ville moderne ; le départ d'un train, gare Saint-Lazare, qui est décrit dans *La Bête humaine*, est un moment fantastique : « Une nuée montait, déroulant comme un linceul d'apparition, et dans laquelle passaient de grandes fumées noires, venues on ne savait d'où. »

Multiforme, changeante, la ville est même évoquée comme un énorme organe, monstrueux parfois, « jetant le sang de la vie dans toutes les veines » (aux Halles), ou menaçant aux yeux de Gervaise, dans *L'Assommoir*, « comme si elle avait eu devant elle une personne géante ». Ce personnage mythique, insaisissable et tout-puissant, exhale aux Halles le nuage de ses haleines puantes et se répand « en nuée lourde sur Paris entier » ; mais il offre aussi au conquérant « ces souffles de l'Empire naissant [avec] des odeurs d'alcôves et de tripots financiers, des chaleurs de jouissances » (*La Curée*). Sa force pourrait effrayer si elle n'offrait au créateur une mine inépuisable : « Les pierres des maisons me parlent [...]. Paris a tous les sourires et toutes les larmes. » (dans *La Cloche*, 24 janvier 1872).

▶ Le lit de la célèbre courtisane Valtesse de la Bigne est à peine moins extravagant que celui dont rêve Nana : « Il serait tout en or et en argent repoussés, pareil à un grand bijou, des roses d'or jetées sur un treillis d'argent. »

The bed of the famous courtesan Valtesse de la Bigne is barely less extravagant than the one that Nana fantasizes about: "It would all be in embossed gold and silver, like a big jewel, with golden roses strewn over a silver trellis."

© Les Arts Décoratifs, Paris/Philippe Chancel/Akg-Images

Of all of Émile Zola's Parisian domiciles—and he had almost twenty, ranging from modest to comfortable—the last is unfortunately the best-known: the townhouse at number 21 bis on Rue de Bruxelles where he moved in 1889 and died asphyxiated on September 29, 1902. None of them is available for visits.

Zola was familiar with Paris, having wound his way through it in every direction when he embarked on his carefully researched fresco in the twenty volumes of Les Rougon-Macquart.

Here, Paris is omnipresent, in its natural diversity, its violent mutations, and its sprouting wonders. His works are primarily set on the Right Bank where Haussmann's gigantic works extracted, from the chaos of demolitions, a modern city with strategic intersections, as noted in L'Assommoir: "Under the rising luxury of Paris, the district's misery died and stained the construction site of this new city, built so hastily." Such upsets unleashing the speculation of unscrupulous investors with a talent for making fortunes to satisfy their desires reach their heights in La Curée: "It was possible to feel the mental unhinging, the voluptuous golden nightmare of a city crazy about its gold and its flesh."

● ● ●

▶ Hôtel au parc Monceau.
« Ce perron, aux marches larges
et basses, était abrité par
une vaste marquise vitrée, bordée
d'un lambrequin à franges et
à glands d'or. » (*La Curée*)

Townhouse at the Parc Monceau.
"*The front stairs, the steps
wide and low, were sheltered
by an enormous glass canopy,
edged with a fringed lambrequin
and golden tassels.*" (La Curée)

© Léopold Mercier/Roger-Viollet

▼ Gustave Caillebotte,
Le Pont de l'Europe, huile sur toile,
1876. De ce tout nouveau pont,
un promeneur pouvait contempler
le fascinant jet de vapeur lors
du départ des trains, et voir
déborder « cette blancheur
qui foisonnait, tourbillonnante
comme un duvet de neige, envolée
à travers les charpentes de fer ».
(*La Bête humaine*)

Gustave Caillebotte, The Pont
de l'Europe, *oil on canvas, 1876.
From this brand-new bridge,
a stroller could contemplate
the bewitching plumes of steam
that accompanied the departures
of trains, and see "this whiteness
that swelled up and swirled like
a snowy quilt, flying across the iron
structures."* (La Bête humaine)

© Akg-Images/Erich Lessing

● ● ● *Lowly districts such as Rue de la
Goutte-d'Or remained destitute,
with their cheap eateries and uns-
table houses, while the Monceau
plain swelled up with sumptuous
hotels such as the one owned by
Zola's character Aristide Saccard,
"one of the most characteristic
examples of Napoleon III, this
opulent mixed-breed of all kinds
of styles." Typical of a bourgeoisie
with a hankering for respectabi-
lity but deprived of means, the
building in* Pot-Bouille *reveals a
stinking courtyard, "the house's
sewer that carried shame while
[...] the grand staircase rolled out
the solemnity of the upper floors
under the mute stifling of the
air-heater."*
*In this city to be conquered by any
means by those with such aspira-
tions, everything was up for sale.
The character of Octave Mouret—
modeled on Aristide Boucicaut,
real-life creator of Le Bon Marché
store in Paris—pioneered the
winning techniques of modern
trade in his department store* Au
Bonheur des Dames: *a paternalis-
tic fortress for its employees but
a place of all temptations for its
clientele. "Wasn't it an astonishing
creation? It rocked the market, it*

transformed Paris, for it was made of woman's blood and flesh." Women's greed for toiletry items was equaled only by that of men for prostitutes. In Paris, the sale of flesh was inescapable: miserable in Montmartre, where Nana made her debut, and where Gervaise reached the low point of her decline; rampant at the theaters on the boulevards whose regulars included *"the Paris of literature, finance and pleasure; many journalists, a few writers, stock-exchange men, more girls than decent women,"* and triumphant when Nana is praised at Longchamp racecourse.

But nowhere does the brutal materialism of Paris spring to eye more than at Les Halles whose arrays of victuals from all over are a display of abundance: a temptation for the stomach and a promise of rotting. While painter Claude Lantier, the hero of Le Ventre de Paris, enthuses over the *"colossal still lifes"* formed everyday by vegetables, fruits and fish, he also admires the Les Halles market building designed by Baltard, *"its*

prodigious mastwork supporting the endless sails of the roofs." Free from nostalgia for the old Paris, Zola celebrates the new emotions roused by the modern city. The departure of a train from Gare Saint-Lazare, described in La Bête humaine, *is a fantastic moment: "A cloud rose up, unfurling like a ghostly sheet, crossed by large puffs of black smoke coming from who knows where."* Multiform and evolving, the city is even compared to an enormous, monstrous organ, *"forcing the blood of life into every vein"* (at Les Halles), or a threatening presence in the eyes of Gervaise in L'Assommoir, *"as if she had before her a giant."* This mythical figure—fathomless

and all-powerful—exhales, at Les Halles, its smelly breath that spreads *"in a heavy cloud over the whole of Paris".* At the same time, the city's conquerors can inhale *"these breaths of the budding Empire [with] the odor of alcoves and gambling dens, the heat of enjoyment"* (La Curée). Its strength could easily have turned frightening if it didn't also offer the writer inexhaustible inspiration: *"The stones of the houses speak to me [...]. Paris contains all laughter and all tears"* (in La Cloche, January 24, 1872).

Joris-Karl HUYSMANS

(1848-1907)

Parisien, Huysmans le fut toute sa vie, si l'on excepte les deux ans où il vécut près de l'abbaye de Ligugé. S'il changea souvent d'adresse, c'est toujours sur la rive gauche qu'il habita, dans le 6ᵉ ou le 7ᵉ arrondissement. Ce critique d'art intransigeant, ce romancier et chroniqueur littéraire à la vaste culture fait plus que regarder Paris, il en partage la vie dans sa plus grande diversité.

Ce n'est pas un mondain. On ne le voit guère au théâtre : il clame sa répulsion pour le « public des Premières » (*La Revue indépendante*, juin 1884), et l'opéra l'ennuie. Il leur préfère les cafés-concerts, les bals populaires des quartiers ouvriers, les cabarets de la rue de la Gaîté, et les guinguettes des bords de Marne. Non qu'il magnifie la sève drue du peuple qui s'y rencontre et s'y délasse ! Devant la porte du bal Bullier (l'ancêtre de la Closerie des Lilas), il observe, dans la « foule hideuse » des guenilleux et des femmes « au teint glaiseux, aux souliers avachis, aux haillons gluants » (« La Naïade de l'égout » dans *Le Drageoir aux épices*), quelques fillettes de dix ans fascinées par les toilettes criardes des catins éméchées qui sortent à grand tapage : triste sarabande de la prostitution et, sous les couleurs du pittoresque, un mécanisme évident de la déchéance humaine. Persuadé que « la beauté d'un paysage est faite de mélancolie » (« La Bièvre » dans *Croquis parisiens*), il célèbre en 1880 « l'active et misérable Bièvre », « cet exutoire de toutes les crasses » qui, pourtant, « arrose les derniers peupliers de la ville » avant de disparaître sous les travaux des bâtisseurs. Car ces quartiers pauvres et populaires, il le sait, ne resteront pas longtemps pittoresques et indigents.

Huysmans est un témoin lucide, et souvent indigné, des transformations de la ville qui, depuis Haussmann, entre à marche forcée dans la modernité. Il enregistre avec grand intérêt les possibilités nouvelles que les charpentes métalliques donnent à l'architecture moderne. S'il n'a pas de mots assez virulents pour condamner la tour Eiffel, ce « chaos de poutres, entrecroisées, rivées par des boulons, martelées de clous » (« Le Fer » dans *Certains*), il reconnaît l'heureuse combinaison de la pierre et du métal qui structure la grande salle de lecture de la Bibliothèque nationale, et il admire sans restriction la Galerie des machines de l'Exposition de 1889. Et en vrai piéton parisien, il aime ressentir la pulsation de la vie moderne partout où se brasse la foule, empressée à ses négoces et à ses affaires. Et il s'exclame dans *En ménage* : « Quelle qu'elle soit, riche ou pauvre, somptueuse ou mesquine, je trouve que la rue est toujours belle ! » • • •

▼ Ludovic Vallée, *Le Jardin du Bal Bullier, la nuit*, huile sur toile, 1902. « Tout un fumet de femme montait dans des tourbillons de poussière et il restait là, ravi, enviant les gens en chapeaux mous qui cavalcadaient en se tapant sur les cuisses. » (*À vau-l'eau*)

Ludovic Vallée, The Bal Bullier garden, at night, *oil on canvas, 1902. "A strong smell of woman rose up along with the swirls of dust, and he stayed there, enchanted, envying the people in soft hats gallivanting and slapping their hands on their thighs."* (À vau-l'eau)
© Musée Carnavalet/Roger-Viollet

◀ Jean-Louis Forain, *Joris-Karl Huysmans*, pastel, sd.

Jean-Louis Forain, Joris-Karl Huysmans, *pastel, n.d.*
© Musée d'Orsay/Roger-Viollet

*Huysmans was a lifelong Parisian
if we don't count the two years in
which he lived near the Abbey of
Ligugé in southwest French. While
he often moved around, he always
resided on the Left Bank, in the
6th or 7th arrondissements. This
uncompromising art critic, this
broad-cultured novelist and literary journalist did more than look
at Paris: he shared its life, in all its
great diversity.
He was not a worldly man. He was
rarely seen at the theater and
claimed to be disgusted by the
"public of premières" (La Revue
indépendante, June 1884) while
opera bored him. He preferred
concerts in cafés, popular dance
venues in working-class districts,
the cabarets on Rue de la Gaîté
and the dancehalls on the banks
of the Marne River. Not that he
particularly admired the vigor of
the people who flocked there for
entertainment! In front of the door
of the Bullier dancehall (the ances-
tor of La Closerie des Lilas), he
observed a "hideous crowd" composed of rag-wearers and women
with "clayish complexions, shape-
less slippers, slimy tatters" ("La
Naïade de l'égout" in Le Drageoir
aux épices), a few ten-year-old
girls fascinated by the garish
makeup of loud drunken harlots:
the sad saraband of prostitution
and under all this vividness, the
ticking of human decline.
Convinced that "a landscape's
beauty is made of melancholy"
("La Bièvre" in Croquis parisiens), he celebrated, in 1880,
"the lively and miserable River
Bièvre," "this outlet of muck of all
types" that nonetheless "waters
the city's last poplars" before
vanishing under the works of buil-
ders. For he was well aware that*

● ● ● Mais si, le plus souvent, la ville est
pour Huysmans la métaphore
désolante d'une humanité en
train de se laisser asservir par le
matérialisme, elle porte encore
en elle les traces émouvantes d'un
Moyen Âge dont il cultive la nostalgie. La rive gauche, celle qui lui
est si familière, abonde en vieilles
églises qui sont autant de refuges
pour cette âme mystique, conver-
tie au catholicisme en 1895. Le
héros de *En route*, Durtal, qui est
un peu son double, se délecte souvent à Saint-Séverin, sa préférée,
d'une « indéfinissable impression
d'allégresse et de pitié ».

« La Tour Eiffel est vraiment d'une laideur
qui déconcerte et elle n'est même pas énorme ! »

Joris-Karl Huysmans, « Le Fer » dans *Certaine*

▼ Intérieur de l'église Saint-
Séverin. « cette mélancolique
et délicate abside plantée, ainsi
qu'un jardin d'hiver, de bois rares
et un peu fous. » (*En route*).

*Interior of Saint-Séverin Church:
"this dainty melancholic apse
planted, like a conservatory, with
rare, slightly deranged woods."*
(*En route*)

© DR

these poor working-class districts would not remain colorfully destitute for long.
Huysmans was a clear-sighted, and often indignant witness of the city's transformations that forced it into modernity. He paid great interest to the new possibilities that metallic frames offered modern architecture. While he could find no words virulent enough to denounce the Eiffel Tower, this "chaos of crossed beams, attached by bolts, pounded by nails" ("Le Fer" in Certains), he welcomed the happy combination of stone and metal structuring at the reading room of the National Library, and gladly admired the Machines Gallery at the 1889 Universal Exposition. As a true Parisian pedestrian, he liked to feel the pulse of modern life in the mingling of crowds as they hurried to their deals and tasks. In En ménage, he exclaimed: "However they are, rich or poor, sumptuous or miserly, I find that streets are always beautiful!"
And even if most of the time, Huysmans saw the city as a sorry metaphor of humanity becoming enslaved to materialism, he could detect its touching vestiges of the Middle Ages, for which he was nostalgic. The Left Bank that he knew so well held many old churches that became refuges for this mystical soul who converted to Catholicism in 1895. The hero of En route, Durtal, who can be seen as his double, often delighted in Saint-Séverin, his favorite church offering an "indefinable impression of lightness and remorse."

guillaume APOLLINAIRE

(1880-1918)

« Que Paris était beau à la fin de septembre »

Guillaume Apollinaire, *Vendémiaire*

« Le Flâneur des deux rives » : ainsi se nomme Guillaume Apollinaire pour intituler un recueil d'articles autobiographiques paru en 1918, quelques mois avant sa mort. Arrivé à Paris en 1899 après une adolescence apatride et chaotique, il fréquente d'abord la rive droite, où il vit chichement de ses maigres salaires d'employé de banque et de ses collaborations intermittentes à des revues artistiques. Mais dès 1904 il devient ami de Picasso, et familier de la rue Ravignan, véritable foyer de l'avant-garde montmartroise. Toujours proche des cubistes, il émigre néanmoins vers Auteuil, en 1909, pour vivre non loin de son grand amour, Marie Laurencin, rencontrée deux ans plus tôt. Le pont Mirabeau fait

dès lors partie de son paysage sentimental... Mais « [...] en 1912, je ne vous quittai pas sans amertume, lointain Auteuil, quartier charmant de mes grandes tristesses. » (*Le Flâneur des deux rives*).
Quelques mois après cette rupture, en 1913, il s'installe – définitivement – au 202, boulevard Saint-Germain. Le poète suit le mouvement du temps : la rive gauche devient le pôle de la vie littéraire et artistique. Il fréquente à la Closerie des Lilas et à Saint-Germain-des-Prés le milieu des surréalistes, qui voient en lui leur patron, et des futuristes italiens, dont il rédige le manifeste.

▲ Apollinaire fit très vite partie dans sa jeunesse de la bande d'écrivains et d'artistes familiers du Bateau-Lavoir, rue Ravignan (photographiée ici en décembre 1904), où s'inventaient le cubisme et le renouveau artistique.

Early in his youth, Apollinaire joined a group of writers and artists who frequented the Bateau-Lavoir on Rue Ravignan (here photographed in December 1904), to which Cubism and artistic revival could retrace their roots.
© E. Mahiet/Musée Carnavalet/ Roger-Viollet

◀ Accusé en 1911 dans une rocambolesque affaire de recel d'objets d'art, Apollinaire, photographié ici au palais de Justice, dut comparaître avant d'être reconnu innocent.

Accused in an outlandish 1911 case of being involved in a theft of art objects, Apollinaire, here photographed at the Palace of Justice, was summoned to court before being declared innocent.
© BHVP/Roger-Viollet

• • •

● ● ● La mobilisation de 1914 l'en éloigne, mais après la trépanation subie en 1916 sa convalescence l'y ramène, véritable vedette des rencontres amicales du Café de Flore, ardent promoteur des initiatives modernistes. Le monument à sa mémoire, une sculpture de son ami Picasso érigée à côté de l'église Saint-Germain-des-Prés, symbolise assez bien son ancrage dans les mutations du XXᵉ siècle naissant. Mais la grippe infectieuse qui l'emporte le 9 novembre 1918, deux jours avant l'armistice, ne lui aura pas permis d'exercer plus longtemps son talent de précurseur. Contemporain d'un Paris qui se lance dans la modernité avec l'éclairage de nuit et les premières lignes de métro, Apollinaire épouse le mouvement du temps. Chantre des avant-gardes artistiques, il l'est aussi des réalisations emblématiques de l'époque ; « Bergère ô tour Eiffel » veille sur « le troupeau des pont » (*Zone*). Mais, en poète, il juxtapose des images ou des époques pour lier au décor d'une promenade réelle les souvenirs de ses peines intimes : c'est tout le charme mélancolique du *Pont Mirabeau* où « L'amour s'en va comme cette eau courante ». Si, dans *Vendémiaire*, il célèbre la beauté insurpassable de Paris (« Que Paris était beau à la fin de septembre »), il est aussi capable d'éprouver des émotions profondes à partir de réalités aussi humbles que les « zincs à l'aube dans les quartiers populaires » (*Le Flâneur des deux rives*) ou que le cortège fantomatique des prostituées « tremblantes et vaines » qui suivent dans la rue de la Verrerie *Le Musicien de Saint-Merry*. Et quand le poète affirme dans la même œuvre « Je chante la joie d'errer et le plaisir d'en mourir », c'est que Paris est pour lui le lieu privilégié et le moyen subtil qui lui permettent d'accomplir la quête de son moi.

▼ Le poète fut marqué par son inutile incarcération d'une semaine à la prison de la Santé (photographiée ici en février 1918) :
« J'écoute les bruits de la ville
Et prisonnier sans horizon
Je ne vois rien qu'un ciel hostile
Et les murs nus de ma prison [...] »
(*Alcools*)

The poet was troubled by his senseless one-week detainment in the Santé Prison (here photographed in February 1918): "I listen to the noises of the city And as a prisoner without a horizon I see nothing but a hostile sky And the bare walls of my prison [...]" (Alcools)

© Excelsior/L'Equipe/Roger-Viollet

▶ Éprouvé dans sa santé, l'écrivain est affecté en 1918 à un cabinet ministériel, et peut habiter dans son appartement du 202, boulevard Saint-Germain où il vit avec Jacqueline Kolb qu'il épouse le 2 mai à Saint-Thomas-d'Aquin.

Health problems led to the writer's posting to a ministerial office in 1918 and his return to his apartment at number 202 on Boulevard Saint-Germain, where he lived with Jacqueline Kolb who became his wife on May 2, at Saint-Thomas-d'Aquin Church.

© BHVP/Roger-Viollet

"The Stroller of the two banks":
this was the name that Guillaume
Apollinaire chose for himself when
titling a volume of autobiogra-
phical articles published in 1918,
a few months before his death.
Arriving in Paris in 1899 after
a chaotic adolescence, he first
frequented the Right Bank where
he lived frugally from his paltry
earnings as a bank employee and
from his occasional contributions
to journals. But as of 1904, he
became a friend of Picasso and a
regular at Rue Ravignan, the heart
of Montmartre's avant-garde.
While remaining close to the
Cubists, he moved to Auteuil, in
the west of Paris, in 1909, to live
closer to his great love, Marie
Laurencin, whom he met two
years earlier. From that point, the
Pont Mirabeau became a part of
his sentimental landscape... But
as noted in Le Flâneur des deux
rives, in 1912, "I did not leave
you without bitterness, distant
Auteuil, charming district of my
great sorrow."

▲ Lettré et curieux de tout,
Apollinaire fréquentait nos plus
grandes bibliothèques ; mais
il avoue : « J'aime mieux me
promener sur les quais, cette
délicieuse bibliothèque publique. »
(Le Flâneur des deux rives).
Ici les bouquinistes du quai
de Conti, vers 1900.

Cultivated and inquisitive,
Apollinaire frequented the greatest
Parisian libraries—but he also
confessed: "I prefer strolling
on the riverbanks, this delicious
public library."
© Neurdein/Roger-Viollet

A few months after this sepa-
ration, in 1913, he settled—permanently—at number 202 on
Boulevard Saint-Germain. The
poet followed the shifts of the
times for the Left Bank had
become the core of literary and
artistic life. He frequented La
Closerie des Lilas, and at Saint-
Germain-des-Prés, became
involved with the Surrealists who
saw him as their leader, as well as
the Italian Futurists for whom he
wrote a manifesto. His conscrip-
tion in 1914 distanced him from
Paris, but after a head wound in
1916, his convalescence brought ● ● ●

▶ Buste en bronze de Dora Maar par Pablo Picasso, dans le square Laurent-Prache, devant l'église Saint-Germain-des-Prés. Il est dédié à son ami Guillaume Apollinaire.

Bronze bust of Dora Maar by Pablo Picasso, on the Square Laurent-Prache, in front of Saint-Germain-des-Prés Church. It is dedicated to Guillaume Apollinaire.

© Collection Roger-Viollet/Roger-Viollet/ Succession Picasso

« […] en 1912, je ne vous quittai pas sans amertume, lointain Auteuil, quartier charmant de mes grandes tristesses »

Guillaume Apollinaire, *Le Flâneur des deux rives*

▲ « Sous le pont Mirabeau coule la Seine »… Les premiers vers du célèbre poème sont gravés sur une plaque, côté Passy.

"Under the Pont Mirabeau flows the Seine"… The first lines of this famous poem are engraved on a plaque on the Passy side of the bridge.

© CAP/Roger-Viollet

• • • him back, and he became the star of meetings at the Café de Flore and an ardent supporter of Modernist projects. The monument commemorating him, a sculpture by his friend Picasso, raised beside Saint-Germain-des-Prés church, appropriately symbolizes his anchorage in the mutations of the early 20th century. But the influenza that caused his death on November 9, 1918, two days before the armistice, did not allow him to exercise his talent as a precursor for long.

Witness to a Paris embarking on modernity with street lighting and the first metro lines, Apollinaire joined in the movements of the era. A champion of the artistic avant-gardes, he also defended the works that were emblematic of the era: for him, "Shepherdess O Eiffel Tower" watched over "the flock of bridges" (Zone). In his poems, he nonetheless tended to link the real-life décor to memories of interior pains: here lies the melancholic charm of Pont Mirabeau where "love drains away like this running water." While in Vendémiaire he celebrated the unsurpassable beauty of Paris ("How beautiful was Paris at the end of September"), his deep emotion could also be roused by realities as humble as the "zinc counters at dawn in the working-class districts" (Le Flâneur des deux rives) or the ghostly cortege of "trembling, vain" prostitutes along Rue de la Verrerie (Le Musicien de Saint-Merry). And if the poet described himself, in the same work, as "singing the joy of wandering and the pleasure of dying of it," it was because he saw Paris as a privileged spot and the subtle vehicle by which he accomplished his quest for himself.

La Tour Eiffel

```
        S
        A
       LUT
        M
     O     N
     D       E
       DONT
     JE SUIS
     LA LAN
     GUE  É
     LOQUEN
    TE QUESA
    BOUCHE
     O   PARIS
    TIRE ET TIRERA
      T O U        JOURS
     AUX         A L
    LEM          ANDS
```

Guillaume Apollinaire

▲ *La tour Eiffel*, calligramme.
The Eiffel Tower, calligram.
© Succession Appolinaire/DR

marcel PROUST

Né à Auteuil en 1871, mort en 1922 rue Hamelin, près de l'avenue Kléber, Marcel Proust fut « un Parisien de naissance et de cœur » et, qui plus est, un parisien des beaux quartiers. Il passe les trente premières années de sa vie dans l'appartement de ses parents, 9, boulevard Malesherbes, au cœur du quartier de la Madeleine et non loin, par la rue Boissy-d'Anglas, des jardins des Champs-Élysées. C'est ensuite le 45, rue de Courcelles, dans l'environnement résidentiel et « littéraire », près du parc Monceau, où Madeleine Lemaire règne en « Patronne » (telle Mme Verdurin, que Proust nous présente dans *Du côté de chez Swann*, le roman qui ouvre le cycle *À la recherche du temps perdu*) sur son cercle d'habitués. Tant d'autres salons l'ont reçu, comme celui de Mme de Caillavet avenue Hoche, ou d'Anna de Noailles rue Franklin ! Il s'y intègre à une élite artistique, mondaine et, dans l'ensemble, favorable à Dreyfus. En 1907,

Proust déménage pour le 102, boulevard Haussmann ; là, cet asthmatique hypersensible va se cloîtrer dans sa chambre tapissée de liège insonorisant pour écrire la majeure partie de son œuvre. Cette chambre, inaccessible au public, est reconstituée avec son mobilier au musée Carnavalet.
Proust doit quitter cet univers protégé en 1919, et vivra jusqu'à sa mort dans un appartement aux murs recouverts de tapis pour étouffer les bruits extérieurs, « ignoble taudis où tient tout juste mon grabat », écrit-il à Robert de Montesquiou. Presque plus de sorties, peu de visiteurs. Il use ses dernières forces dans l'urgence de l'écriture et se laisse emporter par une infection virale le 18 novembre 1922.

◀ Marcel Proust photographié en 1896.

Marcel Proust photographed in 1896.

© www.bridgemanimages.com

▲ Décor reconstitué au musée Carnavalet de la chambre de Marcel Proust avec ses murs tapissés de panneaux de liège, où durant douze années il écrivit la majeure partie de son œuvre.

Recreation, in the Musée Carnavalet, of Marcel Proust's bedroom, its walls lined with cork panels, where he wrote the bulk of his work over twelve years.

© L. Degráces et Ph. Joffre/Musée Carnavalet/Roger-Viollet

• • •

◀ *La Maison dorée*, estampe d'Adolphe Potemont. Swann cherche en vain Odette dans ce restaurant à la mode, car elle lui a menti. Désormais, pour lui, ce restaurant porte un nom « cruel ». (*Du côté de chez Swann*)

La Maison Dorée, *engraving by Adolphe Potemont. Swann seeks Odette in vain in this fashionable restaurant after she lies to him. From then on, this restaurant's name will be "cruel" to him.* (Du côté de chez Swann).

© Musée Carnavalet/Roger-Viollet

▶ Gustave Caillebotte, *Un balcon boulevard Haussmann*, huile sur toile, 1880. Proust emménage boulevard Haussmann à la fin de 1906, malgré la poussière, les marronniers et la proximité de la bruyante gare Saint-Lazare. Cette artère moderne conduit aux nouveaux quartiers résidentiels.

Gustave Caillebotte, *A Balcony, Boulevard Haussmann, oil on canvas, 1880. Proust moved to Boulevard Haussmann at the end of 1906 despite its dustiness, chestnut trees and proximity to the noisy Saint-Lazare train station. This modern artery led to the new residential districts.*

© www.bridgemanimages.com

• • • Le Paris de Proust, dans son œuvre comme dans sa vie, est donc celui des beaux quartiers, non décrit avec réalisme mais, par la seule magie des noms, recomposé pour un lecteur censé connaître le même monde. Il suffit de citer le joaillier Boucheron, l'habilleur Charvet ou le salon de thé Ladurée pour établir avec le lecteur une connivence de goûts, de références et d'usages sociaux. Du bois de Boulogne à la plaine Monceau, des Champs-Élysées à la place Vendôme, ce Paris est moins un territoire que le support nécessaire, mais accessoire, de ses désirs désenchantés, de ses souvenirs ou de son imagination. Dans cette géographie sentimentale, les allées ombragées des Champs-Élysées restent à jamais liées au souvenir de Gilberte, qui fit connaître au jeune Marcel les délicieux tourments de l'amour, et plus tard de sa grand-mère, saisie d'un grave malaise lors d'une promenade poignante. Si, pour ce Parisien, « les vrais paradis sont les paradis qu'on a perdus » (*Le Temps retrouvé*), le génie créateur de Proust fait de cette perte une résurrection.

Born in Auteuil in 1871 and dying in 1922 on Rue Hamelin, near Avenue Kléber, Marcel Proust was "a Parisian by birth and at heart." More precisely, he was a Parisian of the chic districts. He spent his first thirty years in his parents' apartment at number 9 on Boulevard Malesherbes, in the middle of the Madeleine district, not far from the gardens of the Champs-Élysées. Later, at number 45 on Rue de Courcelles, he became immersed in a residential and "literary" environment near Parc Monceau where Madeleine Lemaire reigned as the "Patronne" (lady boss) over her circle of regulars (like Madame Verdurin, presented by Proust in Du côté de chez Swann, *the first volume* • • •

« La rue de Parme fait moins penser à la chartreuse où meurt Fabrice qu'à la salle des pas perdus de la gare Saint-Lazare. »

Marcel Proust, *Le Côté de Guermantes*

▲ Salle à manger du Ritz
où Proust donnait parfois
des dîners très appréciés. Il n'en
décrit pas lui-même le luxe,
qui va de soi, mais il recueillait
les anecdotes racontées
par le maître d'hôtel.
(*La Prisonnière*)

*The Ritz dining room
where Proust sometimes hosted
highly appreciated dinners.
He himself did not describe their
luxury—naturally a given—
but he collected the anecdotes
told by the maître d'hôtel.
(La Prisonnière)*

© Seeberger, Arch. Phot. CMN, Paris

▼ Le restaurant Lapérouse,
quai des Grands-Augustins,
vers 1920. Swann aime
y déjeuner car son nom est
presque identique à celui de la rue
La Pérouse, où habite Odette,
dont il est follement amoureux.
(*Du côté de chez Swann*)

*Lapérouse restaurant on the Quai
des Grands-Augustins, c. 1920.
Swann likes lunching here as its
name was almost the same as that
of the street—Rue La Pérouse—
where Odette, the object of his
passion, resided. (Du côté de
chez Swann)*

© Albert Harlingue/Roger-Viollet

of the epic novel *À la recherche du
temps perdu). Many other salons
also received him, including that
of Madame de Caillavet on Avenue
Hoche, or that of Anna de Noailles
on Rue Franklin. Here, he became
part of a worldly artistic elite that
tended to support Dreyfus, whose
false accusation of treason was at
the heart of a scandal that rocked
the era. In 1907, Proust moved
to number 102 on Boulevard
Haussmann, and the hypersen-
sitive asthmatic holed himself
up in his bedroom lined with
sound-proofing cork to write the
bulk of his works. This room, inaccessible to the public, has been
recreated with its furniture, at the
Musée Carnavalet.
Proust would leave his sheltered
universe in 1919, and lived until
his death in an apartment whose
walls were lined with rugs to stifle
noise from outside—"a horrible
hovel where my bed just fits" reads
his description of it, addressed
to Robert de Montesquiou. He
practically stopped going out
and received few visitors. His last
dregs of strength were channeled
into the urgency of writing before
he succumbed to a viral infection
on November 18, 1922.*

« Cette complexité du bois de Boulogne qui en fait un lieu factice. »

Marcel Proust, *Du côté de chez Swann*

Proust's Paris, in his works as well as in his experience, was privileged and not entirely realistic. Through the magic of names, he appealed to readers who were meant to recognize references to the world that was his. His mere mention of the jeweler Boucheron, the tailor Charvet or the Ladurée tea salon were meant to establish, with readers, a complicity in tastes, references and social customs. From the Bois de Boulogne to the Monceau plain, from the Champs-Élysées to the Place Vendôme, this Paris was less a territory than a necessary but secondary support for his disenchanted desires, his memories or his imagination. In this sentimental geography, the shady alleys of Champs-Élysées remained forever linked to his memory of Gilberte who introduced the young Marcel to the delicious torments of love, and later his grandmother who suffered from a serious health episode during a walk.

While Proust considered that "true paradises are the paradises that one has lost" (Le Temps retrouvé), his creative genius enabled this loss to be transformed into resurrection.

▲ Georges Stein, *Cavaliers et attelages, avenue du Bois*, huile sur toile, vers 1900. C'est toujours la promenade chic où Mme Swann se montre le dimanche matin, « épanouissant autour d'elle une toilette toujours différente mais que je me rappelle surtout mauve. » (*À l'ombre des jeunes filles en fleurs*)

Georges Stein, Riders and Carriages, Avenue du Bois, *oil on canvas, c. 1900. Here, Madame Swann would show off her finery on Sunday morning strolls, "flourishing outfits that were always different but that I most of all remember as being mauve." (*À l'ombre des jeunes filles en fleurs*)

© Musée Carnavalet/Roger-Viollet

Léon-paul FARGUE

(1876-1947)

> « Je sais que des habitants de la rive droite pensent que la gauche n'est qu'un vaste couvent plombé de cloches larmoyantes. »

Refuges, Léon-Paul Fargue

Parmi tous les livres dont Léon-Paul Fargue est l'auteur, *Le Piéton de Paris* (1939) est à la fois le titre le plus connu et le juste synonyme de sa destinée personnelle et littéraire. Enfant grandi dans les quartiers populaires du nord de la capitale, brillant khâgneux au lycée Henri-IV, rétif à tout engagement professionnel contraignant, mais passionné de poésie, de peinture et de musique, il va mener, entre oisiveté et collaborations aux plus grandes revues littéraires, telles la *NRF* et *Commerce*, la vie d'un poète accueilli à partir de vingt ans dans les cercles de l'élite intellectuelle et artistique du XXᵉ siècle naissant. Dans sa prose poétique, ses chroniques, ses poèmes en vers libres, il n'aura de cesse de célébrer la ville dont il est amoureux : celle de ses souvenirs et celle qui change sous ses yeux.

Ses premières amours sont les quartiers de son enfance, si peu touristiques et si méprisés des Parisiens nantis, ceux où il a connu « cette banalité exquise et spontanée de tous les jours » (*Refuges*) qui rend la vie souriante. Il faut avoir beaucoup flâné, en vrai *Piéton de Paris*, entre les boulevards de Magenta, de la Chapelle et de la Villette • • •

▶ La rue de Crimée enjambe le canal de l'Ourcq « qui s'étend et dort comme une piscine entre les quais de la Marne et de l'Oise [...] Ce canal est pour moi le Versailles et le Marseille de cette orgueilleuse et forte contrée. » (*Le Piéton de Paris*)

Rue de Crimée spans the Canal de l'Ourcq "that stretches out and slumbers like a swimming pool between the Quai de la Marne and the Quai de l'Oise [...] For me, this canal is the Versailles and the Marseille of this proud and mighty land." (Le Piéton de Paris)

◀ Léon-Paul Fargue en 1947.
Léon-Paul Fargue in 1947.
© Roger-Viollet

© CAP/Roger-Viollet

▶ Les quais de la Seine :
« c'est un pays unique, tout en
longueur, sorte de ruban courbe,
de presqu'île imaginaire qui
semble être sortie de l'imagination
d'un être ravissant. » (*Le Piéton
de Paris*)

*The Seine riverbanks: "it's a unique
land, stretched lengthwise, a type
of curved ribbon, a make-believe
peninsula that seems to have
sprouted from the imagination
of a ravishing being."*
(Le Piéton de Paris)

© André Zucca/BHVP/Roger-Viollet

● ● ● pour célébrer ce secteur comme « un pays plutôt qu'un arrondissement » : « C'est un quartier pur, à la fois riche et serré, ennemi de Dieu et du snobisme. » Bien des années après l'avoir quitté, et vivant dans un environnement plus confortable, il en parle toujours : « Avec ses deux gares, vastes music-halls où l'on est à la fois acteur et spectateur, avec son canal glacé comme une feuille de tremble et si tendre aux infiniment petits de l'âme, il a toujours nourri de force et de tristesse mon cœur et mes pas. » Aucun autre lieu parisien n'aura droit à une telle déclaration d'amour,

même si le vieux Montmartre, ainsi qu'il l'avoue dans *Refuges*, avec ses cafés vieillots, ses rapins et sa bohème, a exercé sur lui « une influence à la fois fascinante et quasi maternelle ». D'autres quartiers, d'autres ambiances ont compté pour l'infatigable *Piéton de Paris*, comme les quais, « chef-d'œuvre poétique de Paris », ou les Champs-Élysées étincelants de cafés et de cinémas, et tant d'autres dont il sait capter la diversité. Parmi eux Montparnasse, qu'il découvrit vers 1910, le fascina d'emblée : « L'impression que devait produire sur moi ce quartier à la fois

◀ Couple sur le canal de l'Ourcq,
vers 1950. « Avec son canal glacé
comme une feuille de tremble
et si tendre aux infiniment petits
de l'âme… » (*Le Piéton de Paris*)

*Couple on the Canal de l'Ourcq,
c. 1950. "With its frozen canal like
an aspen leaf, so tender to infinitely
young souls…"* (Le Piéton de Paris)

© Gaston Paris/Roger-Viollet

crapuleux, illuminé, grouillant, cultivé et agité comme un cerveau fut celle d'une ville comprimée qui parlait. » (*Refuges*). Mais cette patrie d'adoption n'échappe pas aux insidieux changements de la vie moderne, accentués par les contraintes quotidiennes imposées durant l'occupation allemande. Les cafés, si chaleureusement accueillants naguère aux amis toujours sûrs de s'y retrouver, sont dans *Refuges* « vitrés de bleu, comme des serres nocturnes » soumises au camouflage, où l'on pénètre presque à tâtons. Peu à peu, la mélancolie profonde de voir la ville aimée disparaître dans l'avènement d'une modernité implacable, plus salubre peut-être mais sans âme, et ne plus exister que dans le souvenir, suscite chez le poète le sentiment que, devenue étrangère à elle-même, elle l'est aussi par rapport à lui. Divagation d'alcoolique ? C'est plus profond que cela. Paris devient pour lui la métaphore hallucinée d'un être en proie au doute quant à ses repères pour vivre. En témoignent ces quelques lignes de « Marcher », dans le recueil *Haute Solitude* : « D'autres pas que les miens courent vers des logis, d'autres vies que la mienne ploient sous les tonnes du dégoût. Vers quel point m'élancer, pour laisser sur ce bout de trottoir, pantelante, noyée au milieu de mon ombre, l'angoisse ? »

• • •

▶ ● ● ● *Of all the books authored by Léon-Paul Fargue,* Le Piéton de Paris *(1939, literally "The Paris Walker") is the title that is the best known as well as the one that best sums up his personal and literary destiny. Growing up in the working-class districts of the capital's north before becoming a brilliant pupil at the prestigious Lycée Henri-IV, he was wary of all restrictive professional commitments but a lover of poetry, painting and music. Between spells of idleness and contributions to eminent literary journals such as* NRF *and* Commerce, *he led the life of a poet accepted in the elite intellectual and artistic circles of the awakening 20th century. In his poetic prose, chronicles and free-verse poems, he continually praised the city that he loved: the one associated with his memories as*

*it changed before his eyes. His first loves were the districts of his childhood that drew so few tourists and that were spurned by wealthy Parisians: the ones where he encountered "this exquisite and spontaneous everyday banality" (*Refuges*) that made life sunny. He must have strolled the city a great deal as a true Piéton de Paris, between Boulevard de Magenta, Boulevard de la Chapelle and Boulevard de la Villette, to be able to celebrate this area as "a country rather than an arrondissement": "It is a pure district, both rich and dense, an enemy of God and snobbism." Many years after he left it, when he resided in a far more comfortable environment, he still mentioned it: "With its two train stations, its vast music halls where people are both actors and spectators, its frozen canal like an aspen*

▼ « Je regrette naturellement tout ce qui s'en est allé du vieux Paris de ma jeunesse [...] Je regrette même le Trocadéro, ce meuble baroque aux deux flambeaux en pinces de homard. » (*Refuges*)

*"I naturally miss everything that has vanished from the old Paris of my youth [...] I even miss Trocadéro, that baroque structure with two beacons resembling lobster claws." (*Refuges*)*

© Roger-Viollet

leaf, so tender to infinitely young souls, it has always nurtured my heart and my steps with strength and sadness." No other Parisian location would earn such a declaration of love from him, even if old Montmartre, appearing in Refuges with its old-fashioned cafés, failed painters and bohemia, exercised a dual influence on him, "both fascinating and practically mothering". Other districts and atmospheres were also important to the tireless Piéton de Paris, such as the riverbanks, those "poetic masterpieces of Paris," or the Champs-Élysées, sparkling with cafés and cinemas, and many others whose diversity he captured. These included Montparnasse, which he discovered in around 1910: "The impression left on me by this district, at once debauched, visionary, swarming, cultivated and teeming like a brain, was that of a tightly packed city that expressed itself" (Refuges).

But this adopted homeland would not escape from the insidious changes wrought by modern life, accentuated by the daily restrictions imposed during the German occupation. The cafés—once so welcoming to friends who could be sure of finding one another there— became, in Refuges, structures "glassed with blue, like nocturnal glasshouses" for the sake of camouflage, which one entered by almost feeling one's way in. Gradually, the deep melancholy of seeing his beloved Paris disappear to make room for an implacable modernity that was perhaps more salubrious but also scrubbed clean of its soul, roused in the poet the feeling that the city was a stranger to itself, and also to him. Were these the ramblings of an alcoholic? There was more to it than that. To him, Paris became a metaphor

of a being in the throes of doubt regarding bearings necessary for survival, as indicated by these few lines from "Marcher," in the anthology Haute Solitude: "Other steps than mine run to dwellings, other lives than mine bend under tons of disgust. Where should I rush to in order to deposit, on this bit of sidewalk, gasping, drowned within of my shadow, my anguish?"

COLETTE

▲ Avant d'être immobilisée sur son « lit-radeau », Colette à son bureau aimait contempler le Palais-Royal, son « quadrangle magnifique », « village dans la ville, cité dans la cité ». (*Trois... six... neuf...*)

Before being bedridden, Colette enjoyed contemplating, from her desk, her "magnificent quadrangle," a "village in the city, a city in the city." (*Trois... six... neuf...*)
© Jean Marquis/BHVP/Roger-Viollet

◄ Colette, à la fenêtre de son appartement du Palais-Royal, 1941. Des lettres enlacées signalent au promeneur les fenêtres sur jardin de son appartement.

Colette, at the window of her Palais-Royal apartment, 1941. Intertwined letters indicate the garden-side windows of her apartment.
© Pierre Jahan/Roger-Viollet

« Je n'aimais pas connaître Paris », avoue Colette lors d'un entretien, en songeant à ses débuts de jeune provinciale projetée dans une ville où elle n'est pas heureuse. D'ailleurs, par le biais de « l'auto-fiction », elle prête à Claudine, sa première héroïne romanesque, dans *Claudine à Paris*, la « torpeur navrée » qui fut la sienne quand elle dut vivre les débuts de son malheureux mariage avec Willy dans « l'appartement sombre, entre deux cours, de cette rue Jacob triste et pauvre ».

Assez vite lancée dans la bohème tapageuse et dépensière de certains affairistes et gens de lettres, elle connaît ensuite les beaux quartiers cossus de la rive droite, où elle fait résider entre autres Léa, la belle demi-mondaine de *Chéri*. À ses yeux, leur plus grand attrait réside dans la proximité du parc Monceau et du bois de Boulogne ; elle y apaise sa nostalgie des perceptions sensuelles de la nature, de ses couleurs et de ses saisons. « Des pelouses découvertes monte un encens tremblant et argenté, qui fleure le champignon », note-t-elle dans *La Vagabonde*. On le voit : elle aime dans Paris ce qui n'est pas urbain.

C'est ainsi que plus tard elle élira domicile à Passy, au 57, rue Cortambert, dans un chalet au « romantisme helvétique » : « Il avait, du décor théâtral, la fragilité et le bon style alpestre [...] La vigne vierge pourvoyait au reste, en rideaux et guirlandes », écrit-elle joliment dans *Trois... six... neuf...* Cet excès de charme devient le piège où elle attendra quatre ans l'époux mobilisé en 1914. Le fouillis d'un jardin luxuriant, les premiers taillis du Bois, voilà ce qui importe à ses yeux, et fait d'elle une Parisienne malgré elle.

Il aura fallu à Colette une quinzaine de déménagements pour qu'elle élise enfin domicile 9, rue de Beaujolais, au Palais-Royal : de 1927 à 1930 dans un entresol triste et sombre (son « tunnel », dit-elle), et de 1938 jusqu'à sa mort dans un plus bel appartement à l'étage noble, dont les fenêtres donnent sur « le quadrangle magnifique » (*Le Fanal bleu*) et son jardin. Mais dans l'intervalle, elle aura vécu au sixième étage du Claridge, sur les Champs-Élysées, dans une errance casanière auprès du personnel de service ; et si elle croise dans les ascenseurs les figurants et les acteurs insolites et

« Je ne puis plus guère quitter ce coin de fenêtre, au beau milieu, au très beau milieu de Paris. »

Colette, *L'Étoile Vesper*

• • •

chamarrés de la comédie sociale, ce n'est pour elle qu'un spectacle qui n'entame pas la « paix aérienne » où se réfugie, dans *Trois… six… neuf…*, sa « silencieuse vie de travailleuse peu sociable ».

De retour au Palais-Royal, Colette succombe avec délices au sortilège du lieu. Elle y voisine avec Jean Cocteau, le décorateur Christian Bérard, la chanteuse Mireille, entre autres célébrités, et elle s'organise une vie de plus en plus sédentaire, peu à peu clouée sur son « lit-radeau » par une arthrite invalidante. Elle le constate en 1946 dans *L'Étoile Vesper* : « Je ne puis plus guère quitter ce coin de fenêtre, au beau milieu, au très beau milieu de Paris. » Dans ses chroniques et souvenirs, elle jouit de la vie provinciale, quasi villageoise, avec ses rites et ses habitués, qui se déroule dans cet espace clos, en contrepoint de la guerre. Ainsi,

par un beau jour de juin 1940, elle voit son quadrangle bucolique, avec « les charmilles d'ormes, les rosiers fleuris, les pelouses bleues d'une rosée d'arrosage », soudain « vidé de ses tranquilles habitants par la chaleur et surtout par une approche qui n'était pas celle de la canicule… » (*L'Étoile Vesper*). Pendant les années sombres aux hivers rigoureux, que *Paris de ma fenêtre* lui permet d'évoquer, elle note qu'« il y a toujours eu une brave paire de mains qui ont empoigné le balai et déblayé parmi la neige une "place aux miettes" où les pattes des oiseaux ont pu atterrir. »

Colette reconnaît même dans *L'Étoile Vesper* que « notre Palais-Royal, même avant la guerre, était une petite province, parée d'une aménité, d'une solidarité qui manquent à la vraie province ». Cette petite province aimée était devenue un art de vivre.

▶ De 1916 à 1928, Colette habita cette simple maison du boulevard Suchet, dont le charme principal était le jardin un peu fou, entouré d'autres jardins et proche du bois de Boulogne.

From 1916 to 1928, Colette dwelled in this simple house on Boulevard Suchet, whose main attraction was its slightly unruly garden, surrounded by other gardens and not far from the Bois de Boulogne.

© Albert Harlingue/Roger-Viollet

▲ L'hôtel Claridge, 74, avenue des Champs-Élysées, fut le domicile de Colette dans les années 1930, mais elle y vivait très simplement : « Deux petites pièces communicantes sous le toit, une baignoire, deux petits balcons jumeaux au bord de la gouttière, des géraniums rouges et des fraisiers en pots… » (*Trois… six… neuf…*)

Hotel Claridge at number 74 on Avenue des Champs-Élysées was Colette's home in the 1930s but her quarters were very simple: "Two small connected rooms under the eaves, a bathtub, two small twin balconies on the edge of the gutter, red geraniums and strawberry plants in pots…" (*Trois… six… neuf…*)

© Charles Lansiaux/Musée Carnavalet/Roger-Viollet

"I didn't like getting to know Paris," admitted Colette during an interview, thinking back to her own arrival to the capital as a young woman thrust into a city where she was unhappy. She incidentally lent to Claudine, her first female heroine, in Claudine à Paris, *her own "sorry numbness," when she lived at the start of her unhappy marriage with Willy in a "gloomy apartment, between two inner courtyards, on the sad and poor Rue Jacob."*

Soon joining the rowdily extravagant bohemia of a certain literary crowd, she then became acquainted with the chic Right Bank districts where she housed other characters including Léa, the beautiful demimondaine in Chéri. *As far as she was concerned, their greatest attraction was the proximity of Parc Monceau and the woods of the Bois de Boulogne; here, she appeased her nostalgia for nature, its colors and seasons. "From uncovered lawns rises a quivery, silvery incense that smells of mushrooms," she remarked in* La Vagabonde. *We can see that what she loved in Paris was not urban.*

It was thus that she later chose to live in Passy, at number 57 on Rue Cortambert, in a chalet evocative of "Swiss romanticism": "it had a theatrical décor, a certain fragility and true Alpine style […] The Virginia creeper did the rest, providing curtains and garlands," she wrote in Trois… six… neuf…. *This was the charming setting where she waited for her husband for four years after he was called up in 1914. The muddle of a lush garden, the nearby thickets of the*

▶ Arrivée à Paris, Claudine (le jeune double romanesque de Colette) aime retourner au parc Monceau avec ses pelouses, ses jets d'arrosage et son petit lac, les senteurs et les couleurs de la nature.

After arriving in Paris, Claudine (the young fictional double of Colette) liked to visit the Parc Monceau with its lawns, sprinklers and small lake, for its natural scents and colors.

© Pierre Barbier/Roger-Viollet

● ● ● *Bois, these were what mattered to her, and made her a Parisian in spite of herself.*
Colette would move around fifteen times or so before she finally chose to settled at number on Rue de Beaujolais, in the Palais-Royal district: from 1927 to 1930, in the sad and gloomy basement (her "tunnel," she would say), then from 1938 until her death, in a more comfortable apartment on the étage noble (the second floor), whose windows overlooked "the magnificent quadrangle" (Le Fanal bleu) and its garden. During

▲ Les mains de Colette écrivant, avec un chat.

Colette's hands writing, with a cat.

© Walter Limot/Musée Carnavalet/ Roger-Viollet

the interval, she lived in the Hôtel Claridge on the Champs-Élysées; and if ever she came across, in the hotel elevators, any of the quirky colorful bit players and actors of the social comedy, she considered them only as a spectacle that failed to tamper with the "airy peace" in which she took refuge, her "silent life of an unsociable worker" as she put it in Trois... six... neuf...,
Back at the Palais-Royal, Colette yielded to the delightful spell of the place. Her celebrity neighbors included Jean Cocteau, the decorator Christian Bérard, the singer Mireille, and her life became increasingly sedentary, gradually bedridden due to crippling arthritis. In 1946, in L'Étoile Vesper, *she wrote the following: "I could no longer leave this window, right in the middle, right in the beautiful middle of Paris." In her chronicles and recollections, she enthused about provincial village life with its rites and regulars in an enclosed space, as a counterpoint to the war. In this way, one fine day in June 1940, she saw her bucolic quadrangle, "with elm arbors, flowering rose bushes, the lawns bluish with the dew of watering," suddenly "emptied of its peaceful inhabitants due to the warmth and above all an approach that wasn't that of the heat wave..." (*L'Étoile Vesper*). During the gloomy years with harsh winters retraced in* Paris de ma fenêtre, *she noted that "there was always a decent pair of hands that would clutch a broom and sweep out, in the snow, a 'crumb corner' where the feet of birds could land."*
Colette would even admit, in L'Étoile Vesper, *that "our Palais-Royal, even before the war, was a small province, complete with a pleasantness and a solidarity lacking in the real provinces." This well-loved province had become a way of life for her.*

▶ Colette, tant qu'elle était valide, aimait ce but de promenade.
« Par les nuits de lune, le Carrousel était d'argent, le jardin bleu et noir, et la féerie grisait les chats indivis. » (*Trois... six... neuf...*)

Colette, while she was still able-bodied, liked strolling here. "On moonlit nights, the Carrousel was silver, the garden blue and black, and the magic thrilled the cats, undividedly."
(*Trois... six... neuf...*)

© Neurdein/Roger-Viollet

jules ROMAINS

(1885-1972)

De 1932 à 1946, Jules Romains publia les 27 volumes de sa grande somme romanesque *Les Hommes de bonne volonté*. À travers les destins croisés de ses personnages, elle reconstitue l'évolution globale de la société française durant un quart de siècle, de 1908 à 1933. Et Paris est le lieu privilégié des grandes mutations collectives que le penseur de l'unanimisme veut mettre en lumière, comme la résultante de multiples destins individuels. Entre *Le 6 Octobre*, premier volume de cette entreprise ambitieuse, et *Le 7 Octobre*, vingt-septième et dernier, ce n'est pas un jour qui s'est écoulé, mais vingt-cinq ans, évoqués dans une démarche de compréhension globale plus que de détails individuels.

Un travail de mémoire d'un genre nouveau reconstitue et ressuscite la ville telle qu'elle fut, dans sa diversité changeante selon les quartiers et au fil du temps ; mais il s'applique moins aux lieux et aux sites remarquables qu'aux trajectoires multiples suivies par les habitants : grands flux et reflux quotidiens entre la banlieue et le centre, mais aussi trajectoires individuelles révélatrices du statut social des personnages, tel le parcours de l'écolier Louis Bastide avec son cerceau dans les rues peu encombrées (en 1908) du quartier Clignancourt, ou, dans *Les Superbes*, les repérages d'un investisseur immobilier parmi « le fastueux éventail d'avenues » du quartier des Invalides. L'auteur va même jusqu'à déceler un réseau de lignes de force qui sillonnaient Paris au début du XXe siècle, aussi significatives que celles d'une main : ligne de la richesse « qui depuis un siècle remonte lentement de la Madeleine vers l'Étoile », celle de la pauvreté aux confins nord de la ville, et encore la ligne des affaires, et celle « de l'amour charnel à travers Paris [...] Elle ressemblait à une voie lactée. » (*Le 6 Octobre*).

Cependant, le temps long de l'évolution globale est parfois scandé par des impressions ponctuelles, des regards projetés sur des lieux • • •

▲ La place d'Aligre dans les années 1930. « Le marché n'avait plus sa pleine effervescence ; mais l'on pouvait y flâner à l'aise. Il offrait cette animation atténuée, traînante, paresseuse, qui s'accorde bien avec notre idée d'un milieu de journée en province. » (*Françoise*)

Place d'Aligre in the 1930s. "The market's fizz had declined and it was possible to stroll around at one's ease. The liveliness it offered was faded, dwindling, lazy, similar to how we imagine the middle of the day to be like in provincial France." (*Françoise*)

« Paris [...] imbibé de mouvements
comme une éponge, et déformé
par le flux perpétuel des choses
qui s'approchent et s'éloignent. »

Jules Romains, *Le 6 Octobre*

● ● ● préservés. En 1933, Jallez décrit, dans *Françoise*, la place d'Aligre, inchangée depuis des années : « C'est vraiment la place centrale d'un vieux village de province, avec tout ce qu'il faut : un marché en plein air, naïf et bariolé, le poids public, des auberges sur le pourtour et des carrioles qui attendent. » Au contraire, dans les années 1920, le boulevard du Montparnasse, sans aucun pittoresque particulier, mais du seul fait des rencontres dont il est le théâtre, réussit à être « un lieu du monde sans pareil, un moment du monde sans pareil » (*Comparutions*). Mais un moment de prestige ne suffit plus pour voir en Paris une capitale universelle, et le cycle romanesque se termine en 1933 avec *Le 7 Octobre*, sur une scène de départ dans un lieu qui « combinait les sortilèges du désert et ceux de l'usine », l'aéroport du Bourget.

From 1932 to 1946, Jules Romains published the 27 volumes of his great fictional work, Les Hommes de bonne volonté. *Through the crisscrossing destinies of its characters, it recreated the broad evolution of French society over a quarter of a century, from 1908 to 1933. And Paris was the privileged spot of great collective changes that the thinker on unanimism (a movement based on collective consciousness) set out to present through multiple individual destinies. Between* Le 6 Octobre, *the first volume of this ambitious enterprise, and* Le 7 Octobre, *the twenty-seventh and last volume, it was not just one day that went by but twenty-five years, described* ● ● ●

▶ Très utile pour accéder sans peine à la basilique du Sacré-Cœur, le funiculaire inauguré en 1900 semble fait pour « ravir ce qu'on a d'enfantin dans le cœur [...] Des bruits qui ailleurs seraient mornes ou durs trouvent le moyen d'être allègres. Ce ne peut être que Paris » (*Le 7 octobre*)

Very useful for non-strenuous access to the Sacré-Cœur Basilica, the funicular inaugurated in 1900 seems designed to "enchant the childishness in our hearts [...] Noises that elsewhere would be dreary or harsh find a way to be blithe here. It can only be Paris" (Le 7 octobre)

© Neurdein/Roger-Viollet

• • • with the aim of global understanding rather than focusing on individual detail.

This work reconstituted and resuscitated the city as it was, in its diversity varying according to districts and the passage of time. But rather than remarkable sites and places, Romains' portrayal covered the many trajectories followed by the inhabitants: great daily toing and froing between the suburbs and the city center, as well as individual paths shedding light on the characters' social statuses. This was the case of the schoolboy Louis Bastide with his hoop in the uncluttered streets of the Clignancourt district (in 1908), or, in Les Superbes, a real-estate investor's scouting in the "luxurious fan of avenues" in the Invalides district. The author even detected a network of key lines that trailed through Paris at the start of the 20th century, bearing as much significance as the lines on a hand: the line of wealth "that for a century slowly climbed from the Madeleine to Étoile"; the line of poverty in the city's northern fringes; and the line of business as well as the line of "carnal love through Paris" that resembled "a milky way" (Le 6 Octobre).

The work's long global evolution is nonetheless sometimes punctuated by impressions of preserved sites. In 1933, Jallez described, in Françoise, the Place d'Aligre, as it stood unchanged for years: "It really is the central square of an old provincial village, with everything that one might need: an open-air market, naïve and colorful, the public scales, inns at the edge and waiting carts." On the other hand, in the 1920s, Boulevard du Montparnasse, through no particular color but through its conduciveness to encounters, managed to be "a place in the world with no equal, a moment in the world with no equal" (Comparutions). But one moment of prestige would no longer be enough for Paris to become a universal capital, and the cycle of novels concluded in 1933 with Le 7 Octobre, ending on a departure scene in a place that "combined the charms of the desert and those of the factory": Bourget Airport.

▲ Atelier de montage des automobiles Citroën dans les années 1920. « Des centres de travail ont apparu ou démesurément grossi là où régnait jadis de l'habitation éparse, du terrain vague, du jardin maraîcher. Ils attirent à eux de nombreux mouvements nés tout au loin. » (Le 7 Octobre)

Workshop for assembling Citroën automobiles in the 1920s. "Work centers emerged or grew extravagantly in places where sparse dwellings, vacant lots or market gardens once reigned. They drew towards them numerous movements starting off far in the distance." (Le 7 Octobre)
© UB/Roger-Viollet

◄ L'arc de triomphe de l'Étoile,
vers 1920. « Déconcertante,
la place elle-même ; spacieuse ;
trop spacieuse peut-être ; donnant
l'exemple d'un abus d'espace
et d'une insouciance sans limites. »
(*Cette Grande Lueur à l'Est*)

*The Arc de Triomphe de l'Étoile,
c. 1920. "The square itself:
disconcerting. Spacious, perhaps
too spacious; setting an example
of outrageous expanse and
unrestrained carefreeness."*
(Cette Grande Lueur à l'Est)

© Léon et Lévy/Roger-Viollet

▲ Photographié à une heure
matinale, le carrefour Vavin n'a pas
encore l'animation qui en fait
« ce qu'il y a de moins provincial
au monde, et de moins en retard
sur l'instant. » (*Comparutions*)

*Photographed early in the morning,
the Vavin intersection does not yet
show the animation making it
a picture of "whatever in the world
is the most distanced from
provinciality, the least lagging
behind the moment."*
(Comparutions)

© Léon et Lévy/Roger-Viollet

Louis-Ferdinand CÉLINE

(1894-1961)

« À Paris, sans fortune, sans dettes, sans héritage, on existe à peine déjà, on a bien du mal à ne pas être déjà disparu... »

Louis-Ferdinand Céline, *Voyage au bout de la nuit*

Bien avant de signer ses livres du pseudonyme « Céline » (du prénom de sa grand-mère maternelle), le jeune Louis-Ferdinand Destouches a été marqué par la vie mesquine et triviale de son enfance parisienne. Sans connaître la misère, ses parents gagnent durement leur vie, et le petit commerce de dentelles et bibelots que tient sa mère, dès 1899, au 67 puis au 64 du passage Choiseul le rend familier de bonne heure avec ce décor étrange et délabré où il va vivre, témoin de sa déshérence après les heures de gloire du XIXᵉ siècle. Ce n'est pas un hasard si Céline, dans *Mort à crédit*, l'appelle « Passage des Bérésinas ». « C'est plus infect qu'un dedans de prison. Sous le vitrail, en bas, le soleil arrive si moche qu'on l'éclipse avec une bougie. » C'est tout un monde de petits boutiquiers survivant tant bien que mal, empuantis par la crasse, les déjections et les ordures, recuits dans les rivalités et les malveillances de voisinage.

Cependant, cette enfance terne et plus qu'ingrate connaîtra un grand événement : la grande Exposition de 1900, sur l'esplanade des Invalides, parenthèse mirifique dont ses six ans furent éblouis.

En 1927, revenu à Paris après les tribulations et les blessures de la guerre, les études médicales et les missions sanitaires pour la Société des Nations, Céline exerce la médecine à Clichy, la banlieue prolétaire et miséreuse qu'il baptise « La Garenne-Rancy » dans le *Voyage au bout de la nuit*. Le paysage est bien digne des romans populistes tels qu'Eugène Dabit en a déjà publié. « Un rebut de bâtisses tenues par des gadoues noires au sol. Les cheminées, des petites et des hautes, ça fait pareil de loin qu'au bord de la mer les gros piquets dans la vase. » Tout est sordide dans la détresse quotidienne et ses pathologies sans espoir dont le petit Bébert est l'icône poignante. ● ● ●

◀ Céline en 1932, l'année du succès et du scandale nés à la sortie du *Voyage au bout de la nuit*.

Céline in 1932, the year of the success and scandal sparked by the release of Voyage au bout de la nuit.

© Agence Meurisse/DR

▲ La passage Choiseul, vers 1880-1900. « Sous cloche qu'on était... J'ai été élevé dans une cloche à gaz. On a beau dire, ça marque d'avoir été élevé dans une cloche à gaz. » (*Mort à crédit*)

*Passage Choiseul, c. 1880-1900. "In a gasholder as we were... I was raised in a gasholder. Whatever people might say, it does something to you to be raised in a gasholder." (*Mort à crédit)

© Musée Carnavalet/Roger-Viollet

« Les gens riches à Paris demeurent ensemble, leurs quartiers, en bloc, forment une tranche de gâteau urbain dont la pointe vient toucher au Louvre, cependant que le rebord arrondi s'arrête aux arbres entre le Pont d'Auteuil et la Porte des Ternes. Voilà. C'est le bon morceau de la ville. Tout le reste n'est que peine et fumier. »

Louis-Ferdinand Céline, *Voyage au bout de la nuit*

521 *Exposition Universelle de 1900. — Parc et Palais du Champ de Mars pris de la Tour Eiffel.*

▲ Le palais du Champ-de-Mars, durant l'Exposition universelle de 1900. « Deux rangées d'énormes gâteaux, de choux à la crème fantastiques, farcis de balcons, bourrés de tziganes entortillés dans des drapeaux, dans la musique et des millions de petites ampoules encore allumées en plein midi. » (*Mort à crédit*)

The Champ-de-Mars Palace during the 1900 Universal Exposition. "Two rows of enormous cakes, fantastic choux pastries with cream, stuffed with balconies, filled with gypsies twisted up in flags, music and millions of small light bulbs still lit in the middle of the day." (Mort à credit)
© Neurdein Frères/Neurdein/Roger-Viollet

▶ La maison du peintre français Gen Paul, située à l'angle de l'avenue Junot et de la rue Girardon.
Céline fut un familier de l'artiste qui lui fit connaître l'intelligentsia bohème de Montmartre.

The house of French painter Gen Paul, on the corner of Avenue Junot and Rue Girardon.
Céline was a friend of the artist who introduced him to Montmartre's bohemian intelligentsia.

© Roger-Viollet

• • • Pourtant, le paysage urbain de Céline ne se limite pas à cette banlieue de désespoir. Dès 1929, il s'installe à Montmartre, rue Lepic, puis un peu plus haut, rue Girardon, d'où il contemple tout Paris. La butte n'est plus le creuset des avant-gardes, mais reste un village populaire où se côtoie toute une bohème d'artistes, d'écrivains et de danseuses de cabaret dont beaucoup deviendront ses amis, parmi lesquels sa future épouse Lucette Almanzor. Il devient un habitué des bistros de la place de Clichy et de la rue Caulaincourt, des cabarets de la place Blanche et des « maisons de société » qui foisonnent dans les parages.

Enferré dans son antisémitisme violent et ses positions pro-nazies, il fuit la France en 1944 et ne la retrouve qu'après son amnistie en 1951. L'ancien proscrit se réfugie à Meudon, 25 *ter* route des Gardes. Il y finit sa vie en clochard, à la fois médecin des pauvres et misanthrope, dans un pavillon vétuste dont le charme principal est la vue ample que son jardin offre sur la Seine : « Regardez ce panorama ! les collines, Longchamp, les Tribunes, Suresnes, les boucles de la Seine... deux...trois boucles... au pont, tout contre, l'île à Renault, le dernier bouquet de pins, à la pointe... » (*D'un château l'autre*). De Courbevoie à Meudon, entre le passage Choiseul confiné, la banlieue frappée de malédiction et un Montmartre atypique, le Paris de Céline aura été celui d'un homme des marges, qui peut-être se méfiait trop de la ville pour ne pas la tenir à distance.

◀ Céline connaît la panique des habitants terrifiés du 18ᵉ après les bombardements allemands de 1940 : « Jamais on retrouvera le Sacré-Cœur ! Je prédis ! Alors un immeuble comme le nôtre !... briques ! mosaïques !... ascenseur ! où qu'on ira ? » (*Féerie pour une autre fois*)

Céline witnessed the panic of the 18ᵗʰ arrondissement's residents after the German bomb attacks in 1940: "Never again will we see the Sacré-Cœur! This I predict! So what about a building like ours?... Bricks! Mosaics!... Lift! Where will we go?" (Féerie pour une autre fois)

© Keystone France

Long before he signed his works with the pen name "Céline" (the first name of his maternal grandmother), young Louis-Ferdinand Destouches was marked by the petty, trivial life of his Parisian childhood. While they were not poor, his parents worked hard to scrape together a living. The little lace and trinket shop tended by his mother from 1899 onwards, first at number 67, then number 64, in Passage Choiseul, gave him an early introduction to a bizarre and rundown decor in which he would dwell, testifying to a fall after its hour of glory in the 19ᵗʰ century. It's no accident that Céline, in Mort à crédit, renamed the passage the "Passage des Bérésinas" (Berezina—referring to a Napoleonic battle—is a synonym for "disaster" in French): "It's more revolting than inside a prison. Under the stained glass, low down, the sun enters so hideously that it can be eclipsed by a candle." The passage gathered small storekeepers who got by as they could, stinking with grime, waste, rubbish, soaked in neighborhood rivalry and malice. Yet this drab and rather trying childhood was marked by a great event: the Universal Exposition in 1900 • • •

▶ Céline à Meudon, vers 1955.
« De chez moi de mon jardin,
du sentier [...] vous diriez pas
à peine une lieue du pont
d'Auteuil ! » (D'un château l'autre)

*Céline in Meudon, c. 1955.
"From my place from my garden,
tracks [...] you wouldn't think you
were barely a league from the Pont
d'Auteuil!" (D'un château l'autre)*

© Bernard Lipnitzki/Roger-Viollet

• • • *along the Esplanade des Invalides,
a wonderful parenthesis that
enchanted him as a six-year-old.
In 1927, returning to Paris after
his war tribulations and wounds,
his medical studies and missions
for the Society of Nations, Céline
practiced medicine in Clichy, the
miserable proletarian suburb that
he baptized "La Garenne-Rancy"
in* Voyage au bout de la nuit. *His
descriptions of landscapes would
have been worthy of socialist writer Eugène Dabit. "A scrapheap of*

*buildings held by black mud to the
ground. The chimneys, short and
tall, from a distance look like long
stakes in the sludge at the sea-
side." Everything is sordid in the
daily distress and hopelessness
poignantly encapsulated by young
Bébert.
Yet Céline's urban landscape
was not limited to this despairing
suburb. As of 1929, he settled in
Montmartre, at Rue Lepic, then a
little higher up, at Rue Girardon,
from where he could gaze on the
whole of Paris. The Montmartre
hill was no longer the cradle of
avant-gardes, but remained a
working-class village where bohemian artists, writers and cabaret
dancers clustered, many of
whom would become his friends,
including his future wife Lucette
Almanzor. He became a regular at
the bistros on Place de Clichy and
Rue Caulaincourt, the cabarets on
Place Blanche and the many bor-
dellos in the area.
Clinging to violent anti-Semitism
and pro-Nazi positions, he fled
France in 1944, returning only
after the amnesty, in 1951. The former exile found refuge in Meudon,*

▼ Le pont d'Asnières
(photographié ici en direction
de Clichy) marque pour Céline
la frontière indiscutable entre
Paris et la banlieue misérable :
« Au bout du tram, voici le pont
poisseux qui se lance au-dessus
de la Seine, ce gros égout qui
montre tout. » (Voyage au bout
de la nuit)

*The Pont d'Asnières
(here photographed looking
towards Clichy) marked, for Céline,
the indisputable border between
Paris and the miserable suburbs:
"At the end of the tramway,
here's the dusty bridge that hurls
itself over the Seine, this big drain
where everything shows up."
(Voyage au bout de la nuit)*

© CAP/Roger-Viollet

at 25 ter on Route des Gardes.
Here, he finished his life as a dere-
lict, both a doctor for the poor
and a misanthrope, in a rundown
house whose primary charm was
the view of the Seine from its garden: "Look at this panorama! The
hills, Longchamp, the Tribunes,
Suresnes, the curves of the
Seine... two...three curves... at the
bridge, the Renault island, the last
cluster of pines, at the tip..." (D'un
château l'autre).
From Courbevoie to Meudon, passing through the narrow Passage
Choiseul, the unfortunate suburbs
and an atypical Montmartre,
Céline's Paris was that of a man
on the fringes of society who was
possibly too wary of the city to not
keep it at a distance.

« Regardez ce panorama !
les collines, Longchamp,
les Tribunes, Suresnes, les boucles
de la Seine… deux… trois boucles…
au pont, tout contre, l'île
à Renault, le dernier bouquet
de pins, à la pointe… »

Louis-Ferdinand Céline, *D'un château l'autre*

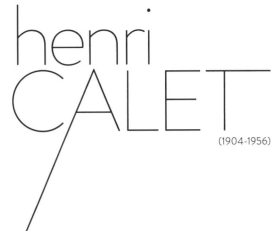

henri CALET

(1904-1956)

« En fait de ville, je ne connais rien de plus beau. »

Henri Calet, *Le Tout sur le tout*

▲ En se rendant à l'école de la rue Saint-Ferdinand, l'enfant voyait tous les jours cet hommage assez kitsch à Léon Serpollet, pionnier de l'automobile qui parvint à atteindre 120 km/h en faisant fonctionner sa voiture à la vapeur d'eau.

On his way to the school on Rue Saint-Ferdinand, every day young Calet would see this kitsch homage to Léon Serpollet, the automobile pioneer who managed to reach 120 kilometers per hour in a steam-powered car.

© Maurice-Louis Branger/Roger-Viollet

Enfant unique de parents unis par un sens commun de la débrouillardise en marge des circuits habituels du travail organisé et des emplois stables, Henri Calet (de son vrai nom Raymond Théodore Barthelmess) énonce fièrement en tête de son livre de souvenirs, *Le Tout sur le tout* : « Je suis parisien de naissance, tout comme mon père, qui est né rue des Alouettes, à Belleville ». Ascendance dont il s'honore pour son opiniâtre vitalité, et son refus du faux-semblant social, jusqu'à intituler, en jouant sur les différents sens du mot, *Huit Quartiers de roture* un petit guide touristique des 19ᵉ et 20ᵉ arrondissements, promenade dans les faubourgs pauvres « où il n'y a rien à voir ». Rien ? Ce serait oublier l'animation de la rue de Belleville, qui débute dans une profusion de commerces et de cafés, et dont l'un était le rendez-vous, à l'aube du XXᵉ siècle, des apaches et de leur reine « Casque d'or ». En 1949, dans *Huit Quartiers de roture*, Calet conclut, mélancolique : « Le café est modernisé ; la rue a gardé son caractère ancien. Il n'y a plus d'apaches. »

Paris est donc, pour l'infatigable chroniqueur de presse écrite et de radio, le terrain privilégié d'une chasse aux souvenirs, collectifs ou personnels. L'essentiel de son enfance s'est déroulé dans le quartier Saint-Ferdinand, que *Les Grandes Largeurs* ressuscitent, où il voyait alors « l'envers du quartier de l'Étoile, glorieux et cossu » : une masure au fond d'une cour aujourd'hui disparue, rue Brunel (qu'il appelle rue Serpollet, du nom du pionnier de l'automobile statufié place Saint-Ferdinand) qu'il assimile aux « taudis où des

hommes et des femmes, et leur marmaille, tâchent à vivre sans air, et sans confort, sans eau et avec des cabinets sans porte, sur le palier ». Mais non loin de là, ses plus belles sorties étaient les attractions de Luna Park, à la porte Maillot. Au-delà, Neuilly était un autre monde ; il le constate, sans amertume ni envie : « De hauts immeubles de construction récente, des hôtels particuliers, des châteaux au fond de parcs ombreux... De la verdure partout, des espaces vides, des façades bien entretenues... »

• • •

« Paris des douze mois de l'année, Paris changeant, Paris des quatre saisons, Paris de poche, [...] Paris à la lune, Paris en chanson, Paris à l'arc-en-ciel... »

Henri Calet, *Le Tout sur le tout*

• • • Adulte, c'est le 15ᵉ arrondissement populaire, où il vit depuis la Libération, qui concentre ses souvenirs et ses découvertes. C'est « un Paris en tenue de travail », comme il aimait à dire, domaine des humbles, dans les duretés de la vie quotidienne, affrontées avec gentillesse ou méchanceté dans les files d'attente pour un ravitaillement problématique, ou dans les drames de voisinage explosifs. Mais, à la belle saison, le square de la mairie, « quelques mètres carrés de gazon, deux douzaines d'arbres poussiéreux », oasis du pauvre, donne l'impression « d'avoir la nature à sa porte » (*Le Tout sur le tout*). Et la grande distraction, aux beaux jours, consiste à flâner à travers les rues du petit marché aux puces de la porte de Vanves, à l'emplacement de la zone. Dans ce même livre de souvenirs, l'auteur égrène « une heure entière de flânerie, sans horaire, sans contremaître, à manipuler de vieux boulons, des appareils disparates, des clous tordus, des vis faussées, tout un outillage inutilisable ». En vrai Parisien, il lui faut aussi « aller voir la Seine ». Il y a « la riche et la pauvre » et ses préférences vont à cette dernière, vers le pont de Tolbiac : « Le paysage est industriel : les Grands Moulins de Paris sur une rive – ils ont des allures de forteresse blanche –, sur l'autre, les entrepôts de Bercy. Le pain et le vin... » (*De ma lucarne*).
La chance de ce Parisien à la santé délabrée est de loger (sans confort) sous les toits d'un haut immeuble, impasse du Rouet, d'où le regard embrasse un panorama qui va du Mont-Valérien à l'observatoire de Montsouris. « En fait de ville, je ne connais rien de plus beau », dit-il dans *Le Tout sur le tout*, et c'est par une litanie fervente, dans laquelle il proclame son amour, qu'il poursuit : « Paris des douze mois de l'année, Paris changeant, Paris

▲ Luna Park vers 1900. Triste constat en 1950 : « Tout a disparu : les deux grandes tours blanches de l'entrée, du haut desquelles des hommes en redingote rouge sonnaient du cor de chasse. » (*Les Grands Largeurs*)
Luna Park, c. 1900.
A sad observation in 1950: "Everything has disappeared: the two big white towers at the entrance, at the top of which men in red redingotes used to sound hunting horns."
(Les Grandes Largeurs)
© Keystone-France

des quatre saisons, Paris de poche, Paris de tous les jours, Paris à vol d'oiseau, Paris dans un rectangle de verre à vitre, Paris du matin, Paris la nuit, Paris à la lune, Paris en chanson, Paris à l'arc-en-ciel », etc., pour conclure : « C'est entre nous à la vie à la mort. » Lucide et narquois, il précise : « La vie pour elle, la mort pour moi. »

As the only child of parents united by their ability to get by on the margins of the customary circuits of stable, organized work, Henri Calet (his real name was Raymond Théodore Barthelmess) made the following proud claim, at the start of his book of memoirs, Le Tout sur le tout: *"I'm Parisian by birth, just like my father who was born on Rue des Alouettes in Belleville."* He also attributed to his father his own lively obstinacy and his refusal of false appearances in society, going as far as writing Huit quartiers de roture (literally, *"Eight Common Districts"*), a little tourist guide on poor neighborhoods in the 19ᵗʰ and 20th arrondissements *"where there is nothing to see."* Nothing? This would be to overlook the animation of Rue de Belleville and its abundance of shops and cafés, one of which was the meeting spot, at the start of the 20ᵗʰ century, of apaches (criminal gangs). In 1949, in Huit Quartiers de roture,

Calet came to the following doleful conclusion: *"The café has changed with the times; the street has kept its old character but there are no more apaches."*
Paris was the preferred stamping ground of this energetic press and radio commentator as he chased after memories, collective or personal.
Most of his childhood was spent in the Saint-Ferdinand district, brought back to life in Les Grandes Largeurs, *where he saw "the flipside of the gloriously chic Étoile district."* His home was a hovel at the far end of a now-gone courtyard on Rue Brunel (that he called Rue Serpollet after the automobile pioneer whose statue stood on Place Saint-Ferdinand), alluded to as a *"slum where men and women and their kids tried to live without air, without comfort, without water and with doorless toilets on landings."* But not far away, his most memorable outings were to the Luna Park attractions at Porte Maillot. On the other side of the Porte, Neuilly was another world; he remarked on this difference with neither bitterness nor envy: *"Tall recently constructed buildings, private mansions, châteaux in the depths of shady gardens... Greenery everywhere, open spaces, well-maintained façades..."*
As an adult, his memories and discoveries focused on the working-class 15th arrondissement, where he lived from the Liberation onwards. This was *"a Paris in working gear,"* as he liked to say, a land of the humble who confronted the harshness of daily life with

kindness or spite when lining up for supplies in long queues or when neighborhood dramas broke out. But in warmer months, the town-hall square, *"a few square meters of lawn, two dozen dusty trees"*, was an oasis for the destitute, giving one the impression of *"having nature at one's doorstep"* (Le Tout sur le tout). And on those fine days, the great diversion was to stroll from the little streets with the open-air market up to the flea market at Porte de Vanves.
In the same book of memories, the author recalls *"a whole hour of ambling—no timetable, no one on my back—sorting through old bolts, unmatched appliances, twisted nails, skewed screws, a whole set of unusable tools."* As a true Parisian, he also felt the need *"to go and see the Seine,"* characterized by its *"rich and poor"* sectors. Calet's preferences tended to the latter, near Pont de Tolbiac: *"The landscape is industrial: the Grands Moulins de Paris [flour factory] on one bank—like a white fortress—the Bercy [wine] warehouses on the other. Bread and wine..."* (De ma lucarne).

This Parisian with poor health had the luck to find (comfortless) accommodation under the eaves of a tall building on the Impasse du Rouet, offering him a view spanning from Mont-Valérien hill in the city's west to the Montsouris observatory. *"In terms of cities, I know of nowhere more beautiful,"* he said in Le Tout sur le tout, going on to proclaim his love in a fervent litany: *"Paris in the twelve months of the year, Paris as it changes, Paris in the four seasons, Paris in paperback, Paris every day, Paris as the crow flies, Paris in a rectangular window, Paris in the morning, Paris at night, Paris in the moonlight, Paris in a song, Paris under a rainbow,"* and so on, coming to this conclusion: *"We're together for life and death."* Clear-sighted and cheeky, he further specified: *"Life for her, death for me."*

Georges SIMENON
(1903-1989)

◀ Pêcheurs sur le quai
des Orfèvres, 1938. « Il avait aimé,
le matin, l'atmosphère des quais
qui lui rappelait tant de souvenirs
et, en particulier, tant de
promenades avec Mme Maigret,
quand il leur arrivait de longer
la Seine d'un bout de Paris
à l'autre. » (*Maigret et le clochard*)

*Fishermen on the Quai des
Orfèvres, 1938. "He loved,
in the morning, the atmosphere
of the riverbanks that conjured up
so many memories for him,
especially his many walks with
Madame Maigret when they would
go walking along the Seine from
one end of Paris to the other."*
(Maigret et le clochard)

© Roger Schall/Musée Carnavalet/
Roger-Viollet

◀ Le regard songeur, le chapeau
de feutre et la pipe allumée :
est-ce Georges Simenon
ou le commissaire Maigret ?

*A dreamy look in the eyes, a felt hat
and a lighted pipe: is it Georges
Simenon or Inspector Maigret?*

© Agence photo de la RMN-GP/Studio
Harcourt

Sur les quatre-vingt-six années de sa longue vie, Simenon en passa peu à Paris. En décembre 1922, ce journaliste belge de 19 ans y arrive, épris d'indépendance et sûr de sa vocation, pour conquérir la célébrité et la fortune dont il rêve. Débuts précaires dans des hôtels minables proches de la gare du Nord, et premiers travaux de secrétaire et de publiciste. Il se fait connaître assez vite et travaille beaucoup ; à une cadence sidérante, il produit des contes licencieux et des romans d'aventures qui lui assurent des revenus suffisants pour pouvoir, en 1924, s'installer 21, place des Vosges : dans un deux pièces sur cour au rez-de-chaussée puis, fin 1927, dans un grand appartement au deuxième étage avec vue sur la place. Ce dernier restera son port d'attache parisien où faire halte entre ses grands voyages en bateau, ses longs séjours en province et outre-Atlantique, et avant d'émigrer définitivement en Suisse en 1957.

Grand promeneur, il a aimé arpenter la ville, avec une prédilection pour la couleur locale des quartiers populaires où, dans la banalité quotidienne, s'affaire une humanité sans gloire mais non sans passions. C'est celle qui peuple beaucoup de ses nombreux romans, en particulier dans les enquêtes du commissaire Maigret (63 d'entre elles, sur 75, se déroulent à Paris). Quant au cadre des histoires, Simenon, vivant au loin, le reconstitue à distance, et ne tente pas de le décrire de façon exacte et documentée. Il se sert de ses propres souvenirs et les authentifie grâce à des localisations précises faciles à repérer sur un plan : « Un peu avant six heures, ils

● ● ●

▲ Toutes les enquêtes de Maigret partent du 36, quai des Orfèvres, où son bureau donne sur la Seine. Ce haut lieu de la police judiciaire, attenant au palais de justice, est désormais abandonné pour une installation plus moderne aux Batignolles.

All of Maigret's investigations started off at number 36 on the Quai des Orfèvres, where his office overlooked the Seine. This center for criminal investigators, adjoining the Palace of Justice, has now been abandoned for a more modern building in the Batignolles district.

© LAPI/Roger-Viollet

● ● ● étaient à nouveau au coin de la rue du Roi-de-Sicile et de la rue Vieille-du-Temple, dans un décor de cour des Miracles. » Suivent des touches pittoresques : « On voyait les globes dépolis de plusieurs hôtels. Les boutiques étaient étroites, des couloirs aboutissaient à des cours mystérieuses. » (*Maigret et son mort*). Chaque lieu est investi d'une valeur sociale ou psychologique et, si Maigret chemine souvent à pied à la recherche des suspects, c'est pour comprendre les motivations et les rancœurs déterminées par leur environnement – à moins que ces rancœurs ne modifient par elles-mêmes la perception de l'extérieur. Tout n'est peut-être pas sombre dans la vie des marginaux des bords de Seine : « Toujours le bruit des autos, là-haut, quai des Célestins, et celui de la grue qui déchargeait le sable du *Poitou*. Cela n'empêchait pas d'entendre des chants d'oiseaux ni le clapotis de l'eau. » (*Maigret et le clochard*). Une osmose périlleuse peut même exister entre les lieux et les êtres. Dans *La Vieille*, les travaux de reconstruction, en 1959, du vieux quartier Saint-Paul contraignent une vieille femme à quitter son immeuble, où elle vit depuis plus de cinquante ans ; après des mois de farouche refus, elle préférera disparaître avec lui. La ville a ses violences : quand, dans *La Mort d'Auguste*, meurt, en 1966, le patron d'un vieux bistrot des Halles, la foule du peuple réunie pour ses obsèques sait confusément qu'elle porte le deuil anticipé du quartier.

Mais si l'on a pu dire que « les enquêtes du commissaire Maigret sont des aventures de l'espace parisien », elles partent toujours de son bureau du 36, quai des Orfèvres, siège de la police judiciaire, et il ne se passe pas de jour sans qu'il ne contemple la Seine et ses eaux changeantes, comme on le voit dans *Maigret et le Clochard*. « Maigret restait seul dans son bureau, campé devant la fenêtre ouverte [...] Il regardait, rêveur, la Seine qui coulait au-delà des arbres, les bateaux qui passaient en silence, les taches claires des robes des femmes sur le pont Saint-Michel. » Si Mme Maigret avait une rivale, ce serait la Seine.

Simenon spent few of the eighty-six years of his long life in Paris. In December 1922, the nineteen-year-old Belgian journalist arrived in the French capital, heady with independence and confident about his vocation, to win the fame and fortune that he dreamed of. He made a shaky debut in shoddy hotels near Gare du Nord, initially working as a secretary and journalist. He soon gained a reputation and worked a great deal. Producing licentious stories and adventure novels at an astounding rate, he earned enough to move, in 1924, to number 21 at the Place des Vosges: a ground-floor two-roomed apartment looking out to an inner courtyard; at the end of 1927, he then moved to a large third-floor apartment with a view of the Place. The latter would remain his Parisian base where he paused between his travels by boat, making long visits to places outside the capital as well as across the Atlantic, before moving permanently to Switzerland in 1957.

A great walker, he enjoyed winding through the city's streets, with a penchant for the local everyday color of the working-class districts peopled with inhabitants who may have lacked glory but not passion. From these he drew inspiration for many of his numerous novels, especially the investigations of Inspector Maigret (63 out of 75 of them are set in Paris). When Simenon lived away from Paris, he would recreate the city from a distance, not attempting to describe it precisely, but by using his own memories authenticated by specific locations that were easy to find on a map: "A little before six o'clock, they were back at the corner of Rue du Roi-de-Sicile and Rue Vieille-du-Temple, against a wretched backdrop." He would touch up these descriptions with a few evocative details: "One could see the dull domes of a few hotels. The stores were narrow, corridors ended up at mysterious courtyards" (Maigret et son mort). Every place was invested with a social or psychological value, and if Maigret so often went out looking for suspects by foot, it was to understand their motivations and resentments, shaped by their environments—unless the suspects'

« Maigret restait seul dans son bureau, campé devant la fenêtre ouverte [...] Il regardait, rêveur, la Seine qui coulait au-delà des arbres, les bateaux qui passaient en silence... »

Georges Simenon, *Maigret et le clochard*

▼ « C'était un bar du temps jadis, avec son zinc traditionnel, ses apéritifs que presque plus personne, sinon les vieux, ne buvait plus, son patron en tablier bleu, manches de chemises retroussées, le visage barré de moustaches d'un beau noir. » (*La Patience de Maigret*)

"It was an old-fashioned bar with a traditional zinc counter, cocktails that almost no one—bar old people—still drank, its boss in a blue apron, shirt sleeves rolled up, his face crossed by a fine black moustache." (*La Patience de Maigret*)
© René-Jacques/BHVP/Roger-Viollet

resentments changed the way that they perceived their environments. But not all was gloomy in the lives of misfits on the banks of the Seine: "The constant noise of cars, up there on the Quai des Célestins, and the hum of the crane unloading sand. This didn't mean one couldn't hear the sound of birds singing or the lapping of water" (Maigret et le clochard). It was even possible for a perilous osmosis to develop between places and beings. In La Vieille, reconstruction works, in 1959, of the old Saint-Paul district, forced an elderly woman to leave the building where she had lived for over fifty years; after months of fierce refusal, she chose to vanish along with the building. The city also had a violent edge: when, in La Mort d'Auguste, the boss of an old bistro in Les Halles died in 1966, the crowd gathered for the funeral had a vague idea that it was mourning, in advance, the passing of the district. While Inspector Maigret's investigations can be described as "adventures on Parisian space," they always start off from his office at number 36 on the Quai des Orfèvres, the police headquarters; not a day went by without him contemplating the Seine and its changing waters, as in Maigret et le clochard. "Maigret stayed alone in his office, parked in front of the open window [...] Dreamily, he watched the Seine as it flowed beyond the trees, the boats passing in silence, the light patches of the dresses of women on the Pont Saint-Michel." If Madame Maigret had a rival to reckon with, it would have been the Seine.

▲ Louis Aragon
dans les années 1940.
Louis Aragon in the 1940s.
© Roger-Viollet

louis ARAGON

(1897-1982)

« J'ai plus écrit de toi Paris que de moi-même
Et plus que de vieillir souffert d'être sans toi »

Louis Aragon, *Paris 42*

Ainsi parle le poète en 1943, aux heures sombres de l'occupation allemande où, dans l'amertume de la défaite, il se cherche les points d'ancrage les plus sûrs à quoi s'accrocher. Mais, Parisien de toujours, il a porté sur la ville un regard influencé par les étapes successives de son expérience personnelle. Attiré à 20 ans dans le cercle des dadaïstes, puis des surréalistes autour d'André Breton, il manifeste son appartenance à l'avant-garde littéraire en s'ingéniant à créer une géographie subjective d'un Paris non officiel, propre aux errances insolites et aux divagations créatrices. Un exemple fameux : le passage de l'Opéra, dans *Le Paysan de Paris* (1926). Détruit en 1925 pour permettre le prolongement du boulevard Haussmann vers l'est, il tenait son originalité de ses deux galeries parallèles, inégalement animées. La plus désuète, poussiéreuse, et seulement fréquentée par quelques habitués, constitue un monde à part, artificiel, chéri des dadaïstes et des surréalistes, une survivance onirique promise à la démolition. Autre lieu exploré, mais bien réel : le jardin des Buttes-Chaumont, dans *Le Paysan de Paris*, « cette grande oasis dans un quartier populaire, une zone louche où règne un fameux jour d'assassinats, cette aire folle née dans la tête d'un architecte du conflit de Jean-Jacques Rousseau et des conditions économiques de l'existence parisienne ».

▼ Le parc des Buttes-Chaumont fait l'objet d'une promenade surréaliste : « Que le concept sinueux de l'allée vous reprenne, et vous mène à de véritables folies labyrinthiques. » (*Le Paysan de Paris*)

The Buttes-Chaumont park was a spot for surrealist strolls: *"May the sinuous concept of the alley take hold of you again and lead you to genuine labyrinthine follies."* (Le Paysan de Paris)

© Léon et Lévy/Roger-Viollet

Mais « la lumière moderne de l'insolite » va s'estomper après l'adhésion d'Aragon au Parti communiste français en 1927. Son engagement militant oriente désormais sa sensibilité et sa création vers une vision plus réaliste de la ville. Le dandy

• • •

bourgeois de Montparnasse
rencontre Elsa Triolet au café
La Coupole en 1928 ; il en fait sa
muse pour la vie et unira dans la
même ferveur ses deux amours
en intitulant un de ses derniers
recueils de poèmes, en 1964, *Il ne
m'est Paris que d'Elsa*. Dès les
années 1930, sa production romanesque consacrée au « Monde
réel » donne une réalité charnelle
et contrastée au Paris des *Beaux
Quartiers* (1936). Deux frères y
incarnent ses propres tendances
contradictoires : le goût de l'aisance satisfait l'homme d'affaires
Edmond Barbentane, dans
« l'Ouest paisible, coupé d'arbres,
aux édifices bien peignés et clairs
dont les volets de fer laissent pas-
ser à leurs fentes supérieures la
joie et la chaleur, la sécurité, la
richesse » ; au contraire, son frère
Armand rejoint dans leurs combats les prolétaires des quartiers
périphériques : « Paris, chair vannée, maisons, hommes sans toits,
bicoques, fortifications, zone,

Paris, Paris qui se poursuit
au-delà de lui-même dans la suie
et le bric-à-brac, dans le désordre
pauvre des faubourgs, des chantiers, des usines... »
Multiple à ce point, la ville porte
en elle la lutte des classes qu'un
militant appelait de ses vœux en
1936, et que, vingt ans plus tard,
elle lui rappelle avec mélancolie :
« Sur le Pont Neuf j'ai rencontré
Mon autre au loin ma mascarade
Et dans le jour décoloré
Il m'a dit tout bas Camarade »
(*Sur le Pont Neuf j'ai rencontré*)

• • •

« On dominait la Seine, l'aqueduc
et le pont du métro avec le Trocadéro,
le Champ-de-Mars, la tour Eiffel et toute
la ville, toute la ville achevée en blanc,
là-bas, comme une mariée, par
le Sacré-Cœur, et de loin un éclat d'or
sur un dôme au soleil d'hiver. »

Louis Aragon, *Aurélien*

• • • Entre-temps, le roman *Aurélien* (1944) aura évoqué un Paris plus divers, où son héros, qui ne s'est pas remis de la guerre, promène à trente ans son indécision sentimentale dans une ville à la fois colorée et secrète. Elle offre l'ampleur du panorama vu d'une terrasse de Passy : « On dominait la Seine, l'aqueduc et le pont du métro avec le Trocadéro, le Champ-de-Mars, la tour Eiffel et toute la ville, toute la ville achevée en blanc, là-bas, comme une mariée, par le Sacré-Cœur, et de loin un éclat d'or sur un dôme au soleil d'hiver. » À l'opposé de cette élégance, les quartiers nord en haut de la rue Oberkampf : « Cette partie de Paris, avec son petit négoce délabré, la tristesse des étalages, les maisons lépreuses, déshonorées par des réclames si vieilles qu'on ne les voit plus est un serrement de cœur pour les hommes qui ont l'habitude des quartiers de l'ouest, du cœur élégant de la capitale. » Dans ces années 1930, le Paris d'*Aurélien*

recèle même en son sein des « quartiers déchus », comme l'île Saint-Louis au charme mélancolique : « Ils sont nombreux qui sont ainsi tombés de la noblesse au commerce, aux logements du petit peuple, en gardant les frontons, les portes, les cours, les escaliers de leur grandeur nostalgique. » Et malgré cela, d'une fenêtre de cette île, « Paris vu de son cœur, à son plus mystérieux » devient une féerie inoubliable. Pourtant, la ville enchanteresse recèle aussi la laideur d'un dancing avec des lumières tournantes multicolores et la masse vulgaire des danseurs agglutinés ; elle n'échappe pas au gris sale et désespérant d'un matin d'hiver sur l'avenue du Bois, et, bien plus poignant, aux remous de la Seine où s'est noyée naguère avec son secret une jeune femme inconnue.

Sous la plume d'Aragon, Paris prend chair, ville des combats et des rêves ; quoi qu'il ait pu dire, en écrivant de Paris, il écrivait bel et bien de lui-même.

« Paris, chair vannée, maisons, hommes sans toits, bicoques, fortifications, zone, Paris, Paris qui se poursuit au-delà de lui-même dans la suie et le bric-à-brac, dans le désordre pauvre des faubourgs, des chantiers, des usines… »

Louis Aragon, *Les Beaux Quartiers*

Thus wrote the poet in 1943, during the somber hours of the German occupation of Paris, driven by the bitterness of defeat to seek solid mooring points to which he could tie himself. But this longtime Parisian looked upon the city with a gaze shaped by several stages in his personal experience. Drawn, at the age of twenty, into the circle of Dadaists, then that of Surrealists around André Breton, he adhered to a literary avant-garde while vying to map out the subjective geography of an underground Paris, steered by his wanderings off the beaten track and his creative divagations. One striking example is the Passage de l'Opéra in Le Paysan de Paris *(1926). Destroyed in 1925 to accommodate the extension of Boulevard Haussmann towards the east, its originality lay in its two parallel, yet unevenly animated, galleries. The dustier and more decrepit one, frequented only by a few regulars, was a world of its own, dear to Dadaists and Surrealists, a dreamlike relic destined for demolition. Another spot was the Buttes-Chaumont* • • •

▼ À la périphérie de Paris, la zone, où se trouve relégué le peuple de la misère, « la pagaïe pathétique de ces demeures d'hommes en papier goudronné, en bois de rebut, en tôle prête à s'envoler. » (*Les Beaux Quartiers*)

At the periphery of Paris, the zone where the destitute were relegated, "the pathetic shambles of these human dwellings in tar paper, waste wood, corrugated iron ready to fly off." (Les Beaux Quartiers)

© Albert Harlingue/Roger-Viollet

▲ « L'étroit balcon entouré de cabines de bois peint rouille ruisselait d'hommes qui s'ils venaient ici le faisaient par goût de la nage et du bain, et pas pour des affaires continuées au bar en peignoir. » (Aurélien)

"The narrow balcony surrounded with cabins in rust-painted wood teemed with men who, if they came here did so out of a liking for swimming, and not for business that was carried on at the bar in robes." (Aurélien)

© Keystone France

● ● ● *park, described in* Le Paysan de Paris: *"this large oasis in a working-class district, a sleazy zone where murderousness prevails, this crazy space born in the mind of an architect from the conflict of Jean-Jacques Rousseau and the economic conditions of existence in Paris."*
But "the modern light of uncanniness" that held Aragon's attention would dim after he joined the French Communist Party in 1927. From then on, his political activism would steer his sensibilities and creation towards a more realistic vision of the city. The bourgeois dandy of Montparnasse met Elsa Triolet at the café La Coupole in 1928; he made her into his lifelong muse and reconciled his two loves in the same fervor in the title of one of his last anthologies of poems, in 1964: Il ne m'est Paris que d'Elsa *("Elsa is My Only Paris"). As of the 1930s, his novels on the "real world" accorded Paris with a carnal and contrasting reality, as in* Les Beaux quartiers *(1936).*

Here, two brothers incarnated his own contradictory tendencies: a taste for wealth in businessman Edmond Barbentane in "the peaceful West, punctuated with trees and bright, finely groomed edifices whose iron shutters let in, through their upper slits, joy and warmth, security, richness." In contrast, his brother Armand became involved in the proletarian combats in the outlying districts: "Paris, knackered flesh, houses, men without roofs, shacks, fortifications, zone, Paris, Paris that continues beyond itself in soot and bric-à-brac, in the poor disorder of suburbs, construction sites, factories..."
*The many-sided city carried a class struggle that the militant ardently wished for in 1936, and that twenty years later, the city reminded him of, with melancholy: "On the Pont Neuf I met My distant other, my masquerade And in the washed-out daylight He quietly called me Comrade" (*Sur le Pont Neuf j'ai rencontré*)*

▶ La pointe de l'île Saint-Louis avec Notre-Dame et le pont de l'Archevêché forme un paysage bouleversant de beauté. « Il y avait Notre-Dame, tellement plus belle du côté de l'abside que du côté du parvis. » (*Aurélien*)

The tip of Île Saint-Louis with Notre-Dame and the Pont de l'Archevêché make up a stunning scene. "There was Notre-Dame, so much more beautiful on its apse side than its courtyard side." (Aurélien)

© Keystone-France

In the meantime, the novel *Aurélien (1944)* described a more diverse Paris where the thirty-year-old hero, unable to get over the war and sentimentally undecided, walks through a colorful and secretive city. It offers the fullness of a panorama, seen from a terrace of Passy: *"We looked over the Seine, the aqueduct and the metro bridge with the Trocadero, the Champ-de-Mars, the Eiffel Tower and the whole city, the whole city finished off in white, over there, like a bride, by the Sacré-Cœur, and in the distance the golden sparkle on a dome in the winter sun."* Contrasting with this elegance were the northern neighborhoods at the top of Rue Oberkampf: *"This part of Paris, with its rundown shops, its sad displays, its leprous houses dishonored by ads so old that they have faded out of sight, tugs at the heart of men accustomed to the western districts, the capital's elegant heart."* In the 1930s, the center of Paris in *Aurélien* still held *"fallen districts,"* such as the wistfully charming Île Saint-Louis: *"Many are those who have fallen this way from noblesse to commerce, to popular housing, while nostalgically keeping the pediments, doors, courtyards and staircases of their grandeur."* Despite this, from a window on the island, *"Paris seen from its heart, at its most mysterious,"* becomes unforgettably enchanting. However, the seductive city also holds ugliness, as in a dancehall's garish spinning lights and the vulgar mass of dancers clumped together; it cannot escape from the dirty despairing gray of a winter morning on Avenue du Bois, or far more poignantly, the backwash of the Seine where a young unknown woman once secretly drowned herself.

Aragon's pen fleshed out Paris, a city of battles and dreams. Whatever else he might have said, by writing about Paris, he was well and truly writing about himself.

◀ *L'Inconnue de la Seine*, moulage de la tête d'une inconnue trouvée noyée dans le canal de l'Ourcq en 1901. La grande absente du roman *Aurélien*, visage mythique dont la beauté ressemble à celle de l'héroïne et provoque sa jalousie.

The Unknown Woman of the Seine, mold of the head of an unidentified woman found drowned in the Canal de l'Ourcq in 1901. She is the notable absentee in the novel Aurélien: her mythical face exudes a beauty that resembles that of the heroine and provokes her jealousy.

© Roger-Viollet

Ernest HEMINGWAY

(1899-1961)

« Paris n'a jamais de fin. »

Ernest Hemingway, *Paris est une fête*

Après avoir rapidement connu Paris en 1918 comme soldat, Hemingway y revient avec sa jeune épouse en décembre 1921. Ils logent d'abord à l'hôtel Jacob, 44, rue Jacob. Très vite ils s'installent au 74, rue du Cardinal-Lemoine, dans « un appartement de deux pièces, sans eau chaude courante, ni toilettes, sauf un seau hygiénique, mais non pas entièrement dépourvu de confort pour qui était habitué aux cabanes du Michigan. » (*Paris est une fête*). C'est toujours un quartier populaire de chiffonniers que la modernité n'a pas encore transformé. Vie spartiate donc, mais heureuse et avide de découvertes. Correspondant à Paris du *Toronto Star*, et amateur de compétitions sportives, Hemingway connaît les salles de boxe, et suit assidûment les courses cyclistes, qui le passionnent, au Vélodrome d'Hiver ou au stade en plein air de Montrouge ; mais il fréquente aussi les hippodromes d'Auteuil ou d'Enghien, où il lui arrive de pique-niquer avec sa femme, avec le fol espoir de voir gagner les chevaux sur lesquels ils ont misé leurs économies.

Dans l'effervescence culturelle des Années folles, Hemingway est très vite accueilli par les ténors de l'intelligentsia anglo-saxonne, dont la plupart vivent à Montparnasse et dans les parages du Luxembourg, à commencer par Sylvia Beach, la généreuse libraire de Shakespeare and Company, 12, rue de l'Odéon, qu'il va voir six jours après son arrivée. Non seulement elle sait guider sa curiosité insatiable vers les grands romanciers anglo-saxons, russes et français sans exiger des paiements dont il n'a pas les moyens, mais elle l'introduit auprès d'artistes et d'écrivains

▲ La rue Mouffetard, où Hemingway loua pendant un temps une chambre d'hôtel très modeste pour y travailler au calme, « une merveilleuse rue commerçante, étroite et très passante, qui mène à la place de la Contrescarpe. » (*Paris est une fête*)

Rue Mouffetard where Hemingway rented a modest hotel room for a time to work in peace, "a wonderful narrow crowded market street which led into the Place Contrescarpe." (A Moveable Feast)

© Maurice-Louis Branger/Roger-Viollet

◄ Ernest Hemingway en 1931.
Ernest Hemingway in 1931.
© Ullstein Bild/Roger-Viollet

• • •

▲ Course des Six-Jours
au Vel'd'Hiv' en 1935. « J'évoquerai
le Vélodrome d'Hiver, dans
la lumière fumeuse de l'après-midi,
et les pistes de bois très relevées
et le crissement des pneus sur
le bois, au passage des coureurs. »
(Paris est une fête)

*Six-Day Race at the Vel'd'Hiv'
in 1935. "I will get to the Vélodrome
d'Hiver with the smoky light
of the afternoon and the
high-banked wooden track and
the whirring sound the tires made
on the wood as the riders passed."*
(A Moveable Feast)

© Roger-Viollet

● ● ● déjà installés. Quant à Gertrude Stein, figure emblématique de l'avant-garde dont l'appartement 27, rue de Fleurus s'orne de toiles de Picasso, Cézanne, Matisse, entre autres, elle voit en lui un exemple de la « Génération perdue », et ne tarde pas à lui accorder une amitié exigeante, parfois trop autoritaire à son goût. Mais c'est auprès d'elle qu'il apprendra à se forger son style dépouillé et sans effets. Quand la famille s'installe, en 1924, 113, rue Notre-Dame-des-Champs, Hemingway prend l'habitude d'aller travailler au calme, à la Closerie des Lilas, toute proche, « l'un des meilleurs cafés de Paris, où les habitués du Dôme ou de la Rotonde ne venaient jamais ». C'est en grande partie là qu'il écrit un de ses premiers romans célèbres, *Le soleil se lève aussi*.

Néanmoins, les hauts lieux de Montparnasse, si fréquentés alors par ses amis américains et français, sont souvent le théâtre de retrouvailles copieusement arrosées, en particulier le Dingo Bar de la rue Delambre, dont seul subsiste le comptoir de bois dans

la sage Auberge de Venise. Dans les années 1930, Hemingway, devenu plus célèbre mais toujours amateur, apprécie des établissements plus luxueux, tel le bar du Ritz où l'emmène son ami Francis Scott Fitzgerald. Il en gardera un souvenir tel qu'en 1944, étant correspondant de guerre auprès des troupes alliées, il outrepassera les ordres donnés pour faire irruption dans l'hôtel et pouvoir se vanter d'avoir « libéré » le bar prestigieux ! L'intérêt du romancier américain ne se limitait certes pas aux cafés, mais ne se portait guère aux monuments « historiques ». Il était en revanche enchanté par les bords de Seine : « Avec les pêcheurs et la vie sur le fleuve [...], les grands ormes sur les berges de pierre, le long du fleuve, les platanes, et, par endroits, les peupliers, je ne pouvais jamais me sentir seul au bord de la Seine. » Et l'on peut le croire sincère quand il intitule le dernier chapitre de *Paris est une fête*, son roman posthume : « Paris n'a jamais de fin. »

After making a brief acquaintanceship with Paris in 1918 as a soldier, Hemingway returned with his young wife in December 1921. They first found accommodation at the Hôtel Jacob at number 44 on Rue Jacob, before quickly settling in at number 74 on Rue du Cardinal-Lemoine, in "a two-room flat that had no hot water and no inside toilet facilities except an antiseptic container, not uncomfortable to anyone who was used to a Michigan outhouse" (A Moveable Feast). This was still a popular district of ragmen that modernity had not yet touched. Hemingway's life here was spartan but happy and full of discoveries. As a Paris-based correspondent for the Toronto Star, and a fan of sporting competitions, Hemingway became familiar with

boxing stadiums and was a keen follower of bicycle races at the Vélodrome d'Hiver or the open-air stadium in Montrouge. He also frequented the racecourses at Auteuil or Enghien, where he sometimes picnicked with his wife, with insane hopes of choosing the right horse after staking their savings on bets.
In the cultural effervescence of the Swinging Twenties, Hemingway was quickly welcomed by the leading figures in English-speaking intelligentsia, most of whom lived around Montparnasse and the Luxembourg Gardens, namely Sylvia Beach, the generous bookseller from Shakespeare and Company at number 12 on Rue de l'Odéon, to whom he paid a visit six days after his arrival. Not only did she guide his insatiable curiosity towards great novelists writing in English, Russian and French without demanding payment (for which he lacked the means), she also introduced him to artists and writers on the spot. Gertrude Stein—an emblematic avant-garde figure, whose apartment at number 27 on Rue de Fleurus was decorated with works by Picasso, Cézanne and Matisse, among others—saw him as an example of the "Lost Generation" and was quick to offer him her demanding friendship, sometimes a little too authoritarian for his taste. But it was from her that he would learn his pared-down style. When in 1924 the Hemingways settled at

• • •

▲ Devenu riche et célèbre, Hemingway fut un habitué inconditionnel du bar du Ritz, place Vendôme.

After he became rich and famous, Hemingway turned into a devoted regular at the bar of the Ritz on the Place Vendôme.

© Roger-Viollet

◄ Dans son salon du 27, rue de Fleurus, Gertrude Stein, ici sous son portrait par Picasso et ses tableaux modernes, sut accueillir et conseiller le jeune Hemingway dès ses débuts parisiens.

In her living room at number 27 on Rue de Fleurus, Gertrude Stein, here under her portrait by Picasso and his modern paintings, welcomed and advised young Hemingway when he made his Parisian debut.

© www.bridgemanart.com

● ● ● number 113 on Rue Notre-Dame-des-Champs, the writer took to working in the calmness of the nearby Closerie des Lilas: "it was one of the nicest cafés in Paris [...] people from the Dôme and the Rotonde never came to the Lilas." This was where he wrote much of one of his famed early novels, The Sun Also Rises.

However, Montparnasse, so popular with his American and French pals, was often the backdrop of reunions with friends, copiously punctuated by drinking, especially at the Dingo Bar on Rue Delambre, of which only the wooden counter remains, now found in the sedate Auberge de Venise. In the 1930s, Hemingway, now more famous, developed a liking for fancier establishments such as the bar of the Ritz where he took his friend Francis Scott Fitzgerald. He kept such a dear memory of the place —overtaken by German occupants during the war—that in 1944, at the time when the Allies were taking Paris back from the Germans, Hemingway, a war correspondent for the allied troops, overstepped orders by bursting into the famed hotel and claiming to "liberate" the prestigious bar!

Even if the American novelist's interests were not limited to cafés, he was hardly transported by the city's historic monuments. On the other hand, he was enchanted by the banks of the Seine: "With its fishermen and the life on the river, [...] the great elms on the stone banks of the river, the plane trees and in some places the poplars, I could never be lonely along the river." We can take it that he spoke from the heart when he titled the final chapter of his posthumous memoirs A Moveable Feast, "There is never any end to Paris."

▲ La première photo de Jean-Paul
Sartre et Simone de Beauvoir
ensemble, en juin 1929,
lors d'une foire porte d'Orléans.

*The earliest photo of Jean-Paul
Sartre and Simone de Beauvoir
together, in June 1929, during a fair
at Porte d'Orléans.*

simone DE BEAUVOIR
(1908-1986)

& jean-paul SARTRE
(1905-1980)

Si la passerelle Simone-de-Beauvoir, inaugurée en 2006 et reliant le parc de Bercy à la bibliothèque François-Mitterrand, rend un hommage mérité à la grande intellectuelle engagée du XXᵉ siècle, elle n'a pas de rapport direct avec sa biographie. Au contraire, la place Sartre-Beauvoir à Saint-Germain-des-Prés perpétue à juste titre le souvenir du couple mythique qui contribua à en forger la légende. Deux brillants étudiants en philosophie passent l'agrégation en même temps, et, en 1929, dans le jardin des Tuileries, concluent un pacte inédit qui les lie tout en préservant la liberté de chacun. Et après les débuts provinciaux des carrières d'enseignants, Paris les réunit jusqu'à la fin.

Désireuse de s'affranchir des contraintes de la vie bourgeoise qu'elle a connues dans sa jeunesse familiale rue de Rennes, Simone de Beauvoir vivra longtemps à l'hôtel. Celui du 33, rue Dauphine – qu'elle fait revivre dans *La Force de l'âge* –, où elle s'installe en 1942, était alors « un taudis [...] une masure crasseuse, avec un escalier de pierre glacial qui sentait la moisissure et d'autres odeurs innommables » ; mais elle avoue : « Je n'avais pas le choix. » Elle le quitte à l'été 1943 pour l'hôtel plus agréable La Louisiane, 60, rue de Seine.

▲ Ambiance feutrée à la bibliothèque de la cité universitaire ; mais dans la chambre de Sartre « il y avait un grand désordre de livres et de papiers, des mégots dans tous les coins, une énorme fumée ». (*Mémoires d'une jeune fille rangée*)

Muted atmosphere in the library of the Cité Universitaire; but in Sartre's bedroom "there was a great disorder of books and papers, cigarette stubs in every corner, smoke in abundance." (Mémoires d'une jeune fille rangée)

© Jacques Rouchon/Roger-Viollet

Sartre l'y retrouve, mais toujours leurs chambres sont séparées (le pacte...). Elle y commence *Le Sang des autres*, et Sartre y écrit son œuvre philosophique majeure *L'Être et le Néant*, ainsi que des pièces de théâtre dont le célèbre *Huis clos* ; il en dirige les premières répétitions dans sa chambre, avec des conseils de

• • •

• • • Camus ; « *L'enfer c'est les autres* » fut d'abord proclamé entre ces modestes murs...

L'important pour eux, c'est l'univers intellectuel de la rive gauche et le confort des rares cafés aux salles chauffées en hiver. Ceux de Montparnasse étant assez fréquentés par les Allemands, Sartre et Beauvoir adoptèrent ceux de Saint-Germain-des-Prés, déjà mis à la mode dans les années 1930. Deux plaques discrètes indiquent les places qu'ils occupaient rituellement aux Deux Magots, mais Simone de Beauvoir avait surtout l'habitude de travailler au Flore, où elle arrivait le matin dès l'ouverture. « Nous prîmes l'habitude de nous y établir pendant toutes nos heures libres. » Autour d'eux c'est une « famille » d'habitués et de fidèles (dont Thierry Maulnier, Adamov, Audiberti et le jeune chanteur Mouloudji) qui se retrouve spontanément, mais éparpillée « dans ce repaire tiède et illuminé, tapissé de belles couleurs rouges et bleues ». Curieusement cet îlot de liberté intellectuelle hostile au fascisme et à la collaboration n'y fut pas inquiété ; mieux même : « Les occupants le savaient, sans doute, car ils n'y mettaient jamais les pieds. » (*La Force de l'âge*). Sartre lui aussi adopta ce quartier, jusqu'à s'installer chez sa mère, en 1945, dans un appartement au quatrième étage du 42, rue Bonaparte. Après un plasticage par l'OAS (Organisation armée secrète) en 1962, il « émigra » vers Montparnasse pour se rapprocher de Simone de Beauvoir, installée depuis 1955 dans un rez-de-chaussée 11 *bis*, rue Schœlcher. Durant ses dernières années, il vivait, très diminué, 29, boulevard Edgar-Quinet dans un appartement au dixième étage dont il sortait peu. Ce seront leurs deux dernières adresses, toutes proches de ce cimetière où une même tombe a réuni leurs cercueils. Il est émouvant de constater qu'elle est toujours fleurie...

Although the Passerelle Simone-de-Beauvoir—the pedestrian bridge inaugurated in 2006, linking the Parc de Bercy to the Bibliothèque François-Mitterrand—pays well-deserved homage to a great intellectual of the 20th century, it has no direct link with her life. On the other hand, the Place Sartre-Beauvoir in Saint-Germain-des-Prés is rightfully located for perpetuating the memories of the mythical couple: two brilliant philosophy students who sat for their examinations to become teachers at the same time and who, in 1929 in the Tuileries Gardens, made an original pact to one another that would preserve the liberty of each. After starting their teaching careers outside Paris, the capital would reunite them until the end of their days. In an attempt to break free from the strictures of bourgeois life that she knew as a child growing up on Rue de Rennes, Simone de Beauvoir lived for years in hotels. The one at number 33 on Rue Dauphine—recreated in La Force de l'âge—where she settled in 1942, was at that time "a hovel [...] a grimy slum with a freezing stone staircase that smelt of mold and other unspeakable odors." But as she admitted: "I had no choice." She left this hotel in the summer of 1943 for a more agreeable hotel, La Louisiane, at number 60 on Rue de Seine. Sartre joined her here but they kept separate rooms (to honor the pact). This was where she started work on Le Sang des autres while Sartre wrote his major philosophical work, L'Être et le Néant, as well as his plays including the well-known Huis clos. Indeed, he directed the first • • •

◀ Le café de Flore, jugé « triste »
en 1929, devient, pendant
l'Occupation allemande, le refuge
de Sartre, Beauvoir et leur bande
d'amis qui s'y sentent « chez eux ».

*The Café de Flore, considered
"glum" in 1929, became, during
the German Occupation, the refuge
of Sartre, Beauvoir and their group
of friends who felt "at home" there.*

© Estate Brassaï - RMN-Grand Palais/
Agence photo de la RMN-GP/Michèle Bellot

▼ Simone de Beauvoir aux
Deux Magots, en 1944. Le matin,
dans la tiédeur et la paix de
ce décor classique, elle élaborait
une réflexion innovante qui devait
marquer son temps.

*Simone de Beauvoir at Les Deux
Magots, in 1944. In the morning, in
the tranquil warmth of this classic
décor, she developed her innovative
thinking that would mark her times.*

© Robert Doisneau/Rapho

« Le Flore avait ses mœurs, son idéologie ;
la petite bande de fidèles qui s'y rencontraient
quotidiennement n'appartenaient ni tout à fait
à la bohème ni tout à fait à la bourgeoisie. »

Simone de Beauvoir, *La Force de l'âge*

◥ Du balcon de son
appartement rue Bonaparte,
Jean-Paul Sartre domine la place
Saint-Germain-des-Prés,
qui aujourd'hui porte son nom
et celui de Simone de Beauvoir.

*From the balcony of his
apartment on Rue Bonaparte,
Jean-Paul Sartre overlooked
the Place Saint-Germain-des-Prés
that today bears his name
and that of Simone de Beauvoir.*

on Rue Bonaparte. After a bomb attack by the OAS (Organisation Armée Secrète, active during the Algerian War) in 1962, he "emigrated" to Montparnasse to be closer to Simone de Beauvoir who since 1955 resided on the ground floor at number 11 bis on Rue Schœlcher. In his last years, he lived, highly incapacitated, at number 29 on Boulevard Edgar-Quinet, in an eleventh-floor apartment from which he hardly emerged. These would be their last two addresses, not far from the cemetery where a single tomb now unites their caskets. It is moving to see that today, there are always flowers marking this spot...

• *rehearsals of the latter in his room, aided by Camus; the notorious "Hell is other people" was first proclaimed within these modest walls...*
What mattered to the couple was the intellectual universe of the Left Bank and the rare comfort of cafés, heated in winter. As Germans frequented the ones in Montparnasse, Sartre and Beauvoir adopted the ones in Saint-Germain-des-Prés, that had already come into fashion in the 1930s. Two discreet plaques mark out the spots that they would routinely occupy at Les Deux Magots, but Simone de Beauvoir took to working in particular at the Café de Flore where she would arrive in the morning as soon as it opened. "We took the habit of setting ourselves up there during all our free hours." Around them gathered a "family" of regulars and loyal supporters (including writers Thierry Maulnier, Adamov, Audiberti and the young singer Mouloudji) who would turn up spontaneously "in this warm, lit haunt, lined with beautiful reds and blues."

Strangely, this isle of intellectual freedom, so hostile to fascism and collaboration with the Germans, was untroubled here; even better, "the occupants knew about it, without a doubt, because they never set foot here" (La Force de l'âge).
Sartre also adopted this district, going as far as moving into his mother's home, in 1945: a fifth-floor apartment at number 42

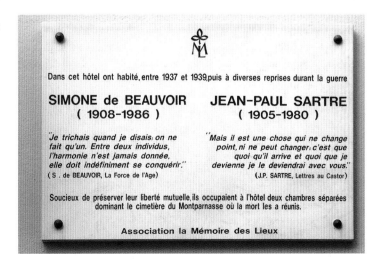

Dans cet hôtel ont habité, entre 1937 et 1939, puis à diverses reprises durant la guerre

SIMONE de BEAUVOIR
(1908-1986)

JEAN-PAUL SARTRE
(1905-1980)

"Je trichais quand je disais: on ne fait qu'un. Entre deux individus, l'harmonie n'est jamais donnée, elle doit indéfiniment se conquérir."
(S . de BEAUVOIR, La Force de l'Age)

"Mais il est une chose qui ne change point, ni ne peut changer: c'est que quoi qu'il arrive et quoi que je devienne je le deviendrai avec vous."
(J.P. SARTRE, Lettres au Castor)

Soucieux de préserver leur liberté mutuelle, ils occupaient à l'hôtel deux chambres séparées dominant le cimetière du Montparnasse où la mort les a réunis.

Association la Mémoire des Lieux

Jacques PRÉVERT

(1900-1977)

> « Paris est tout petit pour ceux qui s'aiment comme nous d'un aussi grand amour. »

Jacques Prévert, *Les Enfants du paradis*

On a peine à compter les héberge-ments et les domiciles propres de Jacques Prévert à Paris, tant sa bohème désargentée lui a fait longtemps multiplier les adresses. Né à Neuilly en 1900, il se familiarise très jeune avec les bords de Seine, mais aussi avec les quartiers pauvres où il accom-pagne son père, chargé d'en-quêtes sociales. Très vite, la gêne financière pousse la famille vers un secteur plus modeste (à l'époque !), Saint-Sulpice, où l'en-fant, peu scolaire, s'enchante des jeux de la rue : le Paris populaire aux quartiers pittoresques est d'emblée sa patrie.

Rue du Château, dans les années 1920, la maison du 54 (aujourd'hui disparue) abrite chez Marcel Duhamel le joyeux phalanstère de la Bande à Prévert, un des foyers du surréalisme où se retrouvent Yves Tanguy, Raymond Queneau, Benjamin Péret, Robert Desnos, Louis Aragon, entre autres. Prévert y affirme son tempérament liber-taire, toujours en révolte contre le pouvoir des officiels et des pos-sédants. Ainsi, en 1933, l'im-mense publicité pour Citroën étalée sur la tour Eiffel lui inspire cette protestation cinglante :
« [...] C'est la lanterne du bordel capitaliste,
Avec le nom du tôlier qui brille dans la nuit
Citroën ! Citroën ! » (*Citroën*)
Ce rebelle opposé à tout embriga-dement politique revendique sa préférence pour la liberté des cafés comme le Flore où l'on se sent entre amis du même bord, et pour les « petits bistros du coin », même s'il est terrible d'y retrou-ver, comme le rappelle *La Grasse Matinée*, le souvenir de « la tête de l'homme qui a faim ». Il sait comme personne révéler la poé-sie naturelle des lieux et des noms. « C'était toujours les rues

◀ Jacques Prévert ne cache pas à son ami Robert Doisneau sa tristesse à ressentir les pesanteurs, visibles ou secrètes, de la vie quotidienne.

Jacques Prévert does not conceal from his friend Robert Doisneau his melancholy about daily life's burdens, whether visible or secret.

© Robert Doisneau/Rapho

• • •

• • • des plus pauvres quartiers qui
avaient les plus jolis noms : la rue
de la Chine, la rue du Chat-qui-
Pêche, la rue aux Ours, la rue du
Soleil, la rue du Roi-Doré, sans
oublier la rue de Nantes et la rue
des Fillettes, et tant d'autres
encore. » Librement, il trace souvent une géographie à la fantaisie
assumée :

« Au coin d'la rue du Jour
et d'la rue Paradis [...]
C'est pas le même quartier
mais les rues se promènent partout où ça leur plaît » (*Un matin
rue de la Colombe*)
Ces jolis noms, discrets ou
célèbres, sont toujours liés aux
destins d'une humanité anonyme
dont Prévert, dès son premier
recueil, *Paroles* (1946), chante
inlassablement les amours et les
peines, que ce soit une fille de
16 ans, perdue et sans un sou sur
la place de la Concorde (*La Belle
Saison*), ou le baiser d'éternité
échangé par des amoureux au

parc Montsouris (*Le Jardin*). D'où le charme intemporel, parfois poignant, de ce Paris « ordinaire » et populaire mis en musique dans les chansons de Joseph Kosma, et mis en scène dans plusieurs films dont Prévert écrivit le scénario. Parmi eux, la plus belle évocation poétique de Paris reste sûrement celle qui fut magnifiée par le décor fabuleux de son complice Alexandre Trauner pour *Les Enfants du paradis*. Prévert sut y reconstituer le boulevard du Temple bordé de théâtres, ce fameux « boulevard du crime » où le public friand d'émotions venait en masse applaudir les mélo-drames romantiques. On n'a pas fini de rêver à la phrase mythique prononcée par Arletty : « Paris est tout petit pour ceux qui s'aiment comme nous d'un aussi grand amour. »

*It's not easy to count up Jacques Prévert's addresses in Paris, so much so did his penniless bohe-mian state force him to move around. Born in wealthy Neuilly in 1900, he became familiar with the Seine riverbanks as a child, but also got to know less well-off districts where he accompanied his father who carried out social surveys. Soon, financial problems forced the family to what—at the time at least!—was a more modest neighborhood, Saint-Sulpice. Here, young Jacques, little inclined towards school, preferred playing in the street: from then on, the colorful districts of working-class Paris were his homeland. In the 1920s, the house (no lon-ger standing) of actor Marcel Duhamel at number 54 on Rue du Château became the joyful base of Prévert's group, a Surrealist den that gathered figures such as Yves Tanguy, Raymond Queneau, Benjamin Péret, Robert Desnos and Louis Aragon. Here, Prévert asserted his libertarian tempe-rament, ever in conflict with the power of officials and the rich. And so, in 1933, the huge Citroën advertisement spread out over the Eiffel Tower inspired this crazed protest from him:
"[...] It's the lantern of the capitalis-tic bordello,
with a ruler's name that glows in the night
Citroën! Citroën!" (Citroën)
Opposed to all political parti-sanship, this rebel stated his preference for the freedom of cafés such as the Flore where he felt that he was among friends on the same side, and small local bis-tros even if he found "the hungry man's face" a terrible sight, as he noted in "La Grasse Matinée."*

• • •

▲ Prévert, désignant du doigt
le Moulin Rouge, depuis la terrasse
(qu'il partageait avec son voisin
Boris Vian) de son appartement,
cité Véron, le 2 mai 1967.

*Prévert pointing at the Moulin
Rouge from the terrace (that he
once shared with his neighbor Boris
Vian) of his apartment, Cité Véron,
on May 2, 1967.*

© Gamma-Rapho

● ● ● *No one could reveal the natural
poetry of names and places as
well as he could. "It's always the
streets in the poorest districts
that have the prettiest names:
the Rue de la Chine [China], the
Rue du Chat-qui-Pêche [Fishing
Cat], the Rue aux Ours [Bears],
the Rue du Soleil [Sun], the Rue du
Roi-Doré [Golden King], without
forgetting the Rue de Nantes [a
city in Brittany] and the Rue des
Fillettes [Little Girls], and so many
others." Often he charted a free
and whimsical geography for the
sake of fantasy:
"At the corner of Rue du Jour [Day]
and Rue Paradis [Paradise] [...]
It's not the same district
but roads go about wherever they
like" (*Un matin rue de la Colombe)
Prévert continually linked these
pretty names, whether well-
known or not, to the destinies of
anonymous others, whose loves
and sorrows he recounted from
his first anthology* Paroles (1946)
*onwards: for example a lost and
destitute sixteen-year-old girl on
the Place de la Concorde ("La
Belle saison"), or a tender kiss
exchanged by lovers at the Parc
Montsouris ("Le Jardin"). Here lies
the timeless, at times poignant
charm of this "ordinary" Paris of
the common folk, put to music in
the songs of Joseph Kosma, and
featuring in several films on which
Prévert acted as screenwriter.
Among these, the most beauti-
fully poetic description of Paris
surely remains the one further
enhanced by the fabulous décor
of production designer Alexandre
Trauner in* Les Enfants du paradis. *Prévert managed to recreate
Boulevard du Temple edged with
theaters, this famous "boulevard
of crime" where a public hungry
for emotions thronged to applaud
romantic melodramas. And one
mythical line pronounced by the
actress Arletty remains etched in
memories: "Paris is tiny for those
who love one another like we do
with such a great love."*

▶ Adrienne Monnier devant
sa librairie, La Maison des Amis
des Livres, rue de l'Odéon. Prévert
était un habitué de ce rendez-vous
international de tous les amoureux
des livres.

*Adrienne Monnier in front
of her bookshop La Maison des
Amis des Livres on Rue de l'Odéon.
Prévert was a regular at this
international meeting spot
for booklovers.*

patrick MODIANO

(Né en 1945)

▲ Le pont des Arts constituait pour Modiano enfant la frontière entre deux univers. À la rive gauche, où habitait sa famille, restaient associés les souvenirs d'une enfance mal-aimée et d'un frère mort très jeune. « Dès que j'avais abordé la rive droite, l'air me semblait plus léger. » (*Fleurs de ruine*)

As a child, Modiano viewed the Pont des Arts as a frontier between two universes. The Left Bank where his family lived was associated with memories of an unhappy childhood and a young brother who died prematurely. "As soon as I stepped onto the Right Bank, the air seemed lighter to me." (*Fleurs de ruine*)

Peu d'œuvres romanesques, à part celle de Simenon mais dans un tout autre esprit, font de Paris le théâtre quasi constant où évoluent les personnages ou le double de Patrick Modiano. Les domiciles ne lui ont pas manqué, innombrables refuges passagers, adresses plus stables et pourtant précaires, depuis le 15, quai de Conti où ses parents l'hébergèrent à contrecœur, toujours pressés de le mettre en pension assez loin. Cette adresse familiale fit néanmoins de lui un enfant de la rive gauche : école communale de la rue du Pont-de-Lodi et catéchisme à Saint-Germain-des-Prés. Pour se libérer de l'abandon affectif dont il souffrait, il franchissait la Seine comme une frontière pour accéder à la liberté des jeux dans la cour du Louvre, qui n'avait pas encore reçu les aménagements de stricte ordonnance de maintenant. Les errances de l'enfant, puis de l'adolescent volontiers fugueur, le rendront familier de la banalité quotidienne qu'il traque, à longueur de romans, dans les hôtels modestes, les appartements prêtés dans des rues sans charme, ou les fonds de salle de cafés ordinaires. À 19 ans, une fois rejetée la tutelle paternelle, il est enfin heureux de vivre à sa guise dans un autre quartier : « Je passais mes journées à Montmartre dans une sorte de rêve éveillé. Je m'y sentais mieux que partout ailleurs. » (*Un pedigree*).

• • •

▼ L'auteur et ses personnages arpentent souvent un Paris nocturne, dont la poésie gomme les repères concrets et libère parfois les sources du rêve.

The author and his characters often stride across Paris by night, its poetry erasing concrete bearings and sometimes inspiring dreams.

© Pierre Jahan / Roger-Viollet

● ● ● Pour retrouver des lieux fréquentés autour des années 1960 et évoqués dans ses romans, les repères fourmillent, et se révèlent décevants : tel café a changé de nom et de style, tel hôtel est devenu un immeuble de rapport. Dans sa recherche, le flâneur mesure la marque du temps sur des lieux familiers, tel le Quartier latin : « Jusqu'à la fin des années soixante, ce quartier était resté identique à lui-même.

Les événements de Mai 68 dont il fut le théâtre n'ont laissé que des images d'actualités en noir et blanc, qui paraissent, dans *Fleurs de ruine*, avec un quart de siècle de recul, presque aussi lointaines que celles filmées pendant la Libération de Paris. » Ainsi, l'empreinte du temps sur la ville en fait un perpétuel palimpseste, dont l'œuvre du photographe Jansen, le protagoniste de *Chien de printemps*, est

la métaphore : « Il lacérait lui-
même les affiches dans les rues
pour qu'apparaissent celles que
les plus récentes avaient recou-
vertes. » Plus troublant : il arrive
que les lieux mêmes semblent se
dérober ; quand, après vingt ans
d'absence, Ambrose Guise
revient par un dimanche canicu-
laire de juillet dans un Paris
désert, il éprouve un sentiment
d'irréalité dans « cette ville fantôme. Et si le fantôme, c'était
moi ? ». La ville de *Quartier perdu*
qu'il voulait retrouver le laisse
dans le vertige de la déposses-
sion : « J'avais beau me le répéter
à voix basse, je flottais dans cette
ville. Elle n'était plus la mienne,
elle se fermait à mon approche. »
Il est pourtant un livre, sans
doute le plus bouleversant de
Modiano, où Paris cesse d'être la
ville mentale et onirique qu'il
questionne inlassablement. À
partir d'une vieille annonce d'un
journal de 1941 sur laquelle il
tombe par hasard, et avec la téna-
cité d'un détective, il va explorer
les traces réelles de la courte vie
d'une adolescente juive du quartier de Clignancourt, depuis son
enfance dans un hôtel
(aujourd'hui démoli) du boulevard Ornano jusqu'à la prison des
Tourelles, d'où elle partit comme
tant d'autres pour Auschwitz.
Pendant longtemps, la mémoire
des lieux fut muette. Grâce au
romancier, elle nous parle désormais, de manière exemplaire.
Mieux même, elle s'inscrit désormais dans le paysage parisien :
en 2015, dans le quartier où Dora
vécut sa petite enfance, fut inaugurée la « promenade Dora-
Bruder ».

◥ La salle de lecture de la librairie
Mistral (aujourd'hui Shakespeare
& Co), rue de la Bûcherie.
Grand lecteur, Modiano fut assidu
dans cette librairie, faite « d'un
dédale de petites pièces tapissées
de volumes où l'on pouvait
s'isoler. » (*Du plus loin de l'oubli*)
*The reading room of the Mistral
bookshop (today Shakespeare
& Co) on Rue de la Bûcherie.
An avid reader, Modiano was
a regular at the bookshop
consisting "of a maze of small
rooms lined with volumes where
you could shut yourself away."
(*Du plus loin de l'oubli*)*
© Harold Chapman/TopFoto/Roger-Viollet

*Few novels—barring those by
Simenon, but in an entirely different style—turn Paris into a stage
with such consistency, featuring
characters or doubles of Patrick
Modiano. The writer has lived in
more than a few places—countless
temporary refuges and various
more stable though no more per-
manent addresses—ever since
leaving his family home at number
15 on the Quai de Conti where his
parents housed him half-heartedly,
always in a hurry to send him to
a distant boarding school This
family address nonetheless made
him a child of the Left Bank: he
went to school on Rue du Pont-
de-Lodi and to catechism at
Saint-Germain-des-Prés church.
To free himself from the emotional
abandonment that afflicted him,
he went over the Seine to the Right
Bank: the crossing of this frontier
gave him the freedom to frolic
in the playground of the Louvre
that had not yet undergone the
renovations that have reshaped
its appearance today. The wanderings of the child, then the runaway
teenager, would acquaint him
with the daily banality presented
in his novels, in modest hotels,
apartments in unprepossessing
streets, or the depths of ordinary
café rooms. At the age of nineteen,
having shaken free of paternal
guardianship, he was happy to
finally live as he liked in another
district: "I'd spend my days in
Montmartre in a sort of waking
dream. I felt better here than*

• • •

▼ Pour Louki, l'héroïne de *Dans le café de la jeunesse perdue*, « la masse noire de l'église de la Trinité, comme un aigle gigantesque qui montait la garde » signale les premières pentes de Montmartre.

For Louki, the heroine in Dans le café de la jeunesse perdue, *"the black mass of Trinité Church, like a gigantic eagle on the watch," announced the first slopes of Montmartre.*

© Léon et Lévy/Roger-Viollet

▶ « L'autre nuit, [...] j'étais ému par ces lumières et ces ombres », perçues comme autant de signaux mystérieux. (*L'Herbe des nuits*)

"The other night, [...] I was moved by these lights and these shadows," perceived as mysterious signals. (L'Herbe des nuits)

© Roger Schall/Musée Carnavalet/ Roger-Viollet

Quartier perdu leaves him giddy with dispossession: "Repeating it to myself in a low voice served no purpose, I was floating in this city. It was no longer mine, it closed up as I approached."
There is nonetheless one book —perhaps the most touching one by Modiano—where Paris ceases to be the dreamlike city that he tirelessly interrogates. Starting off from an old newspaper advertisement dating from 1941 on which he stumbled—and with the tenacity of a detective—he explored the real traces of the short life of a Jewish teenager in the Clignancourt district, from her childhood spent in a (now demolished) hotel on Boulevard Ornano up to her internment at the Prison des Tourelles, from which she would leave, with so many others, for Auschwitz. The memories of the places stayed mute for decades; thanks to the novelist, they now speak, masterfully. Even better, they are now inscribed in the Parisian landscape: in 2015, in the district where Dora lived as a child, the "Promenade Dora-Bruder" was inaugurated.

• • • anywhere else" (*Un pedigree*). *Those looking for the places that he frequented in the 1960s, described in his novels, will find a great many clues that prove disappointing: such and such a café has changed its name and style; such and such a hotel has become an investment property. Strollers on such a quest can measure the impact of time on familiar places like the Latin Quarter: "Until the end of the Sixties, this district remained identical to itself. The events of May '68 staged there have only left black-and-white news images that appear, in* Fleurs de ruine, *a quarter of a century later, almost as distant as those filmed during the Liberation of Paris." In this way, the imprint of time on the city turns it into an endless palimpsest, containing layer upon layer of history, as metaphorically alluded to by the work of the photographer Jansen, the protagonist of* Chien de printemps: *"He himself slashed the*

posters in the streets to reveal those that the more recent ones had covered." On a more troubling note, places themselves seem to hide; when, after twenty years away, Ambrose Guise returns to Paris one July during a heat wave, he feels that he has slipped out of reality in "this ghost city. And what if the ghost was me?" The city that he seeks to rediscover in

▶ Inaugurée en 2015, sur le terre-plein de la rue Belliard qui couvre l'ancienne voie de petite ceinture, cette promenade fait mémoire, à travers le nom de Dora Bruder, de toutes les victimes anonymes et oubliées de l'antisémitisme nazi.

Inaugurated in 2015 on the median strip of Rue Belliard, this promenade commemorates, by being named after Dora Bruder, all the anonymous, forgotten victims of Nazi anti-Semitism.

© Samuel Picas

« Je passais mes journées
à Montmartre dans une sorte de rêve
éveillé. Je m'y sentais mieux
que partout ailleurs. »

Patrick Modiano, *Un pedigree*

BIBLIOGRAPHIE

NB : Les ouvrages sont présentés selon l'ordre d'apparition dans le texte (légendes incluses).

MONTAIGNE (Michel de)
Essais, livre III, Paris, Abel L'Angelier, 1588.

BALZAC (Honoré de)
Dans le cycle romanesque de *La Comédie humaine* :
Le Père Goriot, Paris, Werdet et Spachmann, 1835.
César Birotteau, Paris, Librairie Nouvelle, 1856.
La Fille aux yeux d'or, Paris, Furne, 1835.
La Cousine Bette, Paris, Fayard, 1846.
« Traité de la vie élégante » in *La Mode*, Paris, 1830.

HUGO (Victor)
Notre-Dame de Paris, Paris, Charles Gosselin, 1831.
Les Misérables, Bruxelles, Lacroix, Verboeckhoven et Cie, 1862.
« Ce qui se passait aux Feuillantines vers 1813 », *Les Rayons et les Ombres*, Paris, Delloye Libraire, 1840.
Actes et paroles I à IV, Paris, J. Hetzel, A. Quantin, [1880-1889].

NERVAL (Gérard de)
« Promenades et souvenirs », *La Bohème galante*, Paris, Michel-Lévy Frères, 1855.
Petits Châteaux de Bohême, Paris, Eugène Didier, 1853.
« La Main enchantée », *Contes et facéties*, Paris, 1952.
« Les Nuits d'octobre » in *L'Illustration*, numéros d'octobre et de novembre 1852.
« Aurélia », *Le Rêve et la Vie*, Paris, Victor Lecou, 1855.

BAUDELAIRE (Charles)
Projet d'épilogue pour *Les Fleurs du mal*, Paris, 1861.
« Le Cygne », *Les Fleurs du mal*, Alençon, Poulet-Malassis, 1857.
« Les Aveugles », *ibid.*
« Le Soleil », *ibid.*
« Paysage », *ibid.*
« Le Peintre de la vie moderne », *L'Art romantique*, Michel Lévy frères, Paris, 1868.

MAUPASSANT (Guy de)
Bel-Ami, Paris, Paul Ollendorff, 1885.
Fort comme la mort, Paris, Paul Ollendorff, 1889.
« La Chambre 11 » in *Gil Blas*, Paris, 1884.

ZOLA (Émile)
Dans le cycle romanesque des *Rougon-Macquart* :
L'Assommoir, Paris, Georges Charpentier, 1877.
La Curée, Paris, Georges Charpentier, 1871.
Pot-Bouille, Paris, Georges Charpentier, 1882.
Au bonheur des dames, Paris, Georges Charpentier, 1883.
Nana, Paris, Georges Charpentier, 1880.
Le Ventre de Paris, Paris, Georges Charpentier, 1873.
La Bête humaine, Paris, Georges Charpentier, 1890.
« Jongkind » in *La Cloche*, 24 janvier 1872.

HUYSMANS (Joris-Karl)
« Salon officiel de 1884 » in *La Revue indépendante*, juin 1884.
« La Naïade de l'égout », *Le Drageoir aux épices*, Paris, É. Dentu, 1874.
« La Bièvre », *Croquis parisiens*, Paris, Henri Vaton, 1880.
« Le Fer », *Certains*, Paris, Tresse & Stock, 1889.
À Vau-l'eau, Paris, Stock, 1902.
En ménage, Paris, Georges Charpentier, 1881.
En route, Paris, Tresse & Stock, 1895.

APOLLINAIRE (Guillaume)
Le Flâneur des deux rives, Paris, Éditions de la Sirène, 1918.
« Zone », *Alcools*, Paris, Mercure de France, 1913.
« Le Pont Mirabeau », *ibid.*
« Vendémiaire », *ibid.*
« Le Musicien de Saint-Merry », *Calligrammes*, Paris, Mercure de France, 1918.
« La tour Eiffel », *ibid.*

PROUST (Marcel)
Dans le cycle romanesque de *À la recherche du temps perdu* :
Du côté de chez Swann, Paris, Bernard Grasset, 1913.
Le Temps retrouvé, Paris, Gallimard, 1927.
Le Côté de Guermantes, Paris, Gallimard, 1938.
La Prisonnière, Paris, Gallimard, 1941.
À l'ombre des jeunes filles en fleurs, Paris, Gallimard, 1939.

FARGUE (Léon-Paul)
Le Piéton de Paris, Paris, Gallimard, 1939.
Refuges, Paris, Émile-Paul, 1942.
« Marcher », *Haute Solitude*, Paris, Émile-Paul, 1941.

COLETTE
Claudine à Paris, Paris, Paul Ollendorff, 1902.
Chéri, Paris, Fayard, 1920.
La Vagabonde, Paris, Paul Ollendorff, 1910.
Trois... six... neuf..., Paris, Corrêa, 1944.
Le Fanal bleu, Paris, Ferenczi, 1949.
L'Étoile Vesper, Genève, Éditions du Milieu du monde, 1946.
Paris de ma fenêtre, Genève, Éditions du Milieu du monde, 1944.

ROMAINS (Jules)
Dans le cycle romanesque des *Hommes de bonne volonté* :
Le 6 Octobre, Paris, Flammarion, 1932.
Le 7 Octobre, Paris, Flammarion, 1946.
Les Superbes, Paris, Flammarion, 1941.
Françoise, Paris, Flammarion, 1946.
Comparutions, Paris, Flammarion, 1946.
Cette grande lueur à l'Est, Paris, Flammarion, 1954.

CÉLINE (Louis-Ferdinand)
Mort à crédit, Paris, Denoël, 1948.
Voyage au bout de la nuit, Paris, Denoël et Steele, 1932.
D'un château l'autre, Paris, Gallimard, 1957.
Féérie pour une autre fois, Paris, Gallimard, 1954.

CALET (Henri)
Le Tout sur le tout, Paris, Gallimard, 1948.
Huit Quartiers de roture, Paris, Le Dilettante, 2015.
Les Grandes Largeurs, Lausanne, Vineta, 1951.
De ma lucarne, Paris, Gallimard, coll. « Les inédits de Doucet », 2000.

SIMENON (Georges)
Maigret et son mort, Paris, Presses de la Cité, 1948.
Maigret et le Clochard, Paris, Presses de la Cité, 1963.
La Vieille, Paris, Presses de la Cité, 1959.
La Mort d'Auguste, Paris, Presses de la Cité, 1966.
La Patience de Maigret, Paris, Presses de la Cité, 1965.

ARAGON (Louis)
Paris 42, 1943.
Le Paysan de Paris, Paris, Gallimard, 1926.
Il ne m'est Paris que d'Elsa, Paris, Robert Laffont, 1964.
Les Beaux Quartiers, Paris, Denoël et Steele, 1936.
« Sur le Pont Neuf j'ai rencontré », *Le Roman inachevé*, Paris, Gallimard, 1956.
Aurélien, Paris, Gallimard, 1944.

HEMINGWAY (Ernest)
Paris est une fête, Paris, Gallimard, 1964.
Le soleil se lève aussi, Paris, Gallimard, 1933.

BEAUVOIR (Simone de)
Mémoires d'une jeune fille rangée, Paris, Gallimard, 1958.
La Force de l'âge, Paris, Gallimard, 1964.
Le Sang des autres, Paris, Gallimard, 1945.

SARTRE (Jean-Paul)
L'Être et le Néant, Paris, Gallimard, 1945.
Huis clos, Paris, Gallimard, 1947.

PRÉVERT (Jacques)
Citroën, 1933.
« La Grasse Matinée », *Paroles*, Paris, Le Point du Jour, 1946.
« Un matin rue de la Colombe », *Grand Bal du printemps* [en collaboration avec le photographe Izis], Lausanne, Clairefontaine, 1951.
« La Belle Saison », *op. cit.*
« Le Jardin », *ibid.*
Les Enfants du paradis, de Marcel Carné, 1945 [Prévert est l'auteur du scénario].
Choses et autres, Paris, NRF, 1972.

MODIANO (Patrick)
Un pedigree, Paris, Gallimard, 2005.
Fleurs de ruine, Paris, Le Seuil, 1991.
Chien de printemps, Paris, Le Seuil, 1993.
Quartier perdu, Paris, Gallimard, 1984.
Dora Bruder, Paris, Gallimard, 1997.
Du plus loin de l'oubli, Paris, Gallimard, 1995.
Dans le café de la jeunesse perdue, Paris, Gallimard, 2007.
L'Herbe des nuits, Paris, Gallimard, 2012.

Direction éditoriale : François Besse
Suivi éditorial : Mathilde Kressmann
Relecture-correction : Olivier Debanne et Sandra Salès
Traduction : Fui Lee Luk
Direction artistique : Isabelle Chemin
Maquette : Anne Delbende

Achevé d'imprimer en mars 2018 en U. E.

ISBN : 978-2-84096-996-9
Dépôt légal : septembre 2016